A Cura pela Energia das Mãos

Um Guia Definitivo das Técnicas de
Energização com as Mãos de uma Mestra

Starr Fuentes

A Cura pela Energia das Mãos

Um Guia Definitivo das Técnicas de
Energização com as Mãos de uma Mestra

....

Tradução:
Bianca B. C. Capitano

MADRAS

Publicado originalmente sob o título *Healing With Energy*, por Career Press, 3 Tice Rd., Franklin Lakes, NJ07417 USA.
©2007, Starr Fuentes.
Direitos de edição e tradução para todos os países de língua portuguesa.
Tradução autorizada do inglês.
© 2021, Madras Editora Ltda.

Editor:
Wagner Veneziani Costa

Produção e Capa:
Equipe Técnica Madras

Tradução:
Bianca B. C. Capitano

Revisão:
Jane Pessoa
Maria Cristina Scomparini
Neuza Rosa

Dados Internacionais de Catalogação na Publicação (CIP)
(Câmara Brasileira do Livro, SP, Brasil)

Fuentes, Starr
A cura pela energia da mãos: um guia definitivo das técnicas de energização com as mãos de uma Mestra/Starr Fuentes;
tradução Bianca B. C. Capitano. – São Paulo: Madras, 2021.
Título original: Healing with energy.
ISBN 978-85-370-0418-0
1. Cura 2. Cura mental 3. Energia vital - Uso
terapêutico 4. Imposição das mãos - Uso
terapêutico 5. Medicina alternativa I. Título.
08-09706 CDD-615.852

Índices para catálogo sistemático:
1. Energia vital: Cura prânica: Terapia psíquica 615.852
2. Imposição das mãos: Cura prânica: Terapia
psíquica 615.852

Proibida a reprodução total ou parcial desta obra, de qualquer forma ou por qualquer meio eletrônico, mecânico, inclusive por meio de processos xerográficos, incluindo ainda o uso da internet, sem a permissão expressa da Madras Editora, na pessoa de seu editor (Lei nº 9.610, de 19/2/1998).

Todos os direitos desta edição, em língua portuguesa, reservados pela

MADRAS EDITORA LTDA.
Rua Paulo Gonçalves, 88 – Santana
CEP: 02403-020 – São Paulo/SP
Caixa Postal: 12299 – CEP: 02013-970 – SP
Tel.: (11) 2281-5555 www.madras.com.br

Para Esperanza, que ainda vive em meu coração e viverá para sempre por seus ensinamentos.

Agradecimentos

Agradeço imensamente ao meu marido, Art Jackson, por seu amor e apoio, bem como a todos os meus outros professores.

Agradeço às seguintes pessoas pelas diversas horas de amor, dedicação e serviço: Selena Rodriguez, Kirke vom Scheidt, Gabriele Bodmer, Inge Pfeifer, Brooke Still, Nancy Burson, Bianca Guerra, Mary Lyn Hammer, Zabe Barnes, James Robinson, Zoe Cochran, Pat Childers, Jodi Sorota, Shirley Resler, Collette Chase, Eileen Miller e todos os meus alunos e clientes.

Também gostaria de agradecer a Ja-lene Clark e à equipe da New Page Books, principalmente Laurie Kelly-Pye e Michael Pye, por seu apoio na publicação deste trabalho.

Índice

A Crença do Curandeiro 13
Introdução 15

Parte 1: A Sessão de Cura

Capítulo 1
O Papel do Curandeiro 19
    O que você está mais apto para curar? 20
    Tornando-se um condutor 20

Capítulo 2
O que os Curandeiros Precisam Saber sobre os Curados 23
    Curando amigos, familiares e pessoas queridas 24
    Obtendo permissão 24
    Tipos de curados 24
    Suposições 27
    Quatro perguntas 28
    Nota final 28

Capítulo 3
Conectando-se às Quatro Energias 29
    Quatro energias e forças curativas 30
    Tomando ciência de sua conexão 30
    Exercício para a reconexão 31
    Sempre presente 31

Capítulo 4
Negociando os Campos de Cura 33
    Campos básicos da cura 34
    Aura 34
    O sistema de chacras 35
    Departamento de pesquisa e desenvolvimento 35

    Centralizando-se dentro dos campos 36
    Experimentando os campos 36

Capítulo 5
Como Funcionam as Energias.. 39
    Cinco sentidos leves 40
    Comprimentos de onda do sentido leve 41
    Energias externas 42
    Fluxo de energia 42
    Entre na onda.. 43

Capítulo 6
Utilizando os Elementos para Transformar... 45
    Os quatro Elementos 46
    Compreendendo o poder elemental 48

Capítulo 7
Movimentando as Energias pela Conexão com a Terra 49
    Passos para a conexão 50
    Mantendo o campo... 50

Capítulo 8
Frases Preparatórias para a Cura 53
    Frase de abertura 54

Capítulo 9
Finalizando a Sessão de Cura... 57
    Sabendo quando parar 57
    Encerrando a sessão 58
    Resumo 61
    Limpando o curandeiro.. 61

Parte 2: A Caixa de Ferramentas do Curandeiro

A Caixa de Ferramentas do Curandeiro: Introdução 65
    Processos de cura 66
    Encorajando o curado 66
    A Origem é quem decide 66
    A importância da energia correta 67
    Revisão da sessão 67
    A cura em conjunto 68
A Caixa de Ferramentas do Curandeiro: Exercícios.............................. 71
    Conhecendo as mãos 72
    O toque da terra 73
    Torneiras 73
    Quente e frio 74

Rede 74
Empurrar-puxar 75
Esponja 76
Vácuo 77
Velcro 78
Túneis de vento 78
A Caixa de Ferramentas do Curandeiro: Técnicas de Respiração 81
Respiração de cachorrinho 81
Respiração do fogo 82
Respiração do poder 84
Respiração da água 85
A Caixa de Ferramentas do Curandeiro: Técnicas Gerais 87
Círculo africano de cura 88
Técnicas de equilíbrio dos chacras 90
Chi Qong 100
Afastamentos 113
A figura 119
A Caixa de Ferramentas do Curandeiro: Cura Emocional 125
Exterminador de raiva 126
Cabeça limpa 129
O berço do coração 129
Coração profundo 130
Alívio do sofrimento 131
Coração cheio 136
Coração branco 136
Coração amplo 138
Cavidades amplas 139
Asserções 141
Glossário 149
Índice Remissivo 181
Sobre a Autora 189

A Crença do Curandeiro

Acredito que a Origem me utilize como um recipiente e como um condutor que fornece luz, saúde e amor à pessoa curada.

Acredito que a Origem tenha um conhecimento maior e conheça o bem maior que existe para todos; sirvo como instrumento para a Origem.

Acredito que conhecer a questão principal, ou a causa original, da doença, bem como sua posse, possa permitir que a energia desta enfermidade desapareça de maneira gentil, rápida e fácil.

Sei que os quatro elementos precisam estar presentes para que a cura progrida.

O Ar, representado pela qualidade do ar que respiramos, pela escolha das palavras que saem de nossos lábios, pelos pensamentos enviados para reunir pensamentos semelhantes.

A Terra, representada pelo nosso ambiente pessoal, pelos alimentos que ingerimos e pelas posses que nos rodeiam e o tipo de roupas que vestimos.

A Água, representada pela qualidade da água que bebemos, a maneira como nos banhamos e pelo fluxo de nossas lágrimas.

O Fogo, representado pela maneira como perseguimos nossos objetivos, pela paixão e compaixão que temos pelos outros, pelos compromissos em seguir nosso caminho.

As palavras que saem de nossa boca podem ser rudes, suaves, amáveis ou duras. Conheço esta intenção e procuro construir uma base profunda para a cura. Como curandeiro, devo ser um condutor, pois esta é minha função, e também devo evitar pensar que tenho qualquer controle sobre a cura.

E, acima de tudo,

Eu trarei soluções, e não respostas,

para que, sem mim, a pessoa que está sendo curada saiba como SER CURADA.

Introdução

A cura é um processo misterioso. Para algumas pessoas, ela é instantânea, enquanto, para outras, ela nunca acontece. A cura pode ter as formas mais simples, como um sorriso, um toque ou palavras gentis e apropriadas no momento certo. É possível curar uma pessoa apenas a ouvindo no momento. A cura também pode acontecer por meio de uma vibração, uma técnica ou um remédio de ervas ou homeopático. Enfim, a cura real ocorre somente entre a pessoa que está sendo curada e a Origem.

Às vezes, pode ser desafiador trazer as energias de cura da Origem até você, pois, como curado, você pode não ter a química ou a capacidade de se conectar com a Origem. Nessas situações, é preciso que haja um curandeiro — alguém ou algo que transmita a energia da Origem para você. Os curandeiros são condutores entre as energias curativas da Origem e o curado.

A Cura pela Energia das Mãos é resultado de minhas cinco décadas de trabalho como mestra curandeira e da experiência de ter ensinado mais de 10 mil alunos como serem curandeiros. Neste manual, os curandeiros aprenderão o que é uma sessão de cura, do início ao fim, e também obterão informações sobre as energias presentes na cura, bem como as posições das mãos que facilitam a cura. O curandeiro intermediário descobrirá que este livro é uma referência rápida para as maneiras como a Origem trabalha as técnicas para promover a cura. Pessoalmente, utilizei todas as técnicas que transmitirei. Essas técnicas foram recolhidas no mundo todo, principalmente com meus professores; algumas são de meus alunos, que compartilharam seu conhecimento comigo.

No mundo inteiro, descobri que existem muitas e muitas maneiras de curar e nenhuma prática é melhor que outra. Algumas das técnicas funcionam mais especificamente em determinadas áreas e com tipos particulares de pessoas e doenças, enquanto outras funcionam com os planos mental, emocional e espiritual, que devem mudar primeiro, antes da mudança do corpo físico.

Você lerá sobre as regras absolutas, como o papel da intenção na cura. A frase *a intenção supera a técnica* é o acordo existente entre o subconsciente e a mente inconsciente do curandeiro para que eles se conectem à Origem e à Terra facilitando uma cura. Além disso, note que, se você esquecer um passo ou invertê-lo durante qualquer técnica que esteja empregando, o subconsciente e a mente inconsciente ajustarão a energia automaticamente para o bem maior do curandeiro e do curado.

Estudando as técnicas e tornando-se mais experiente como curandeiro, você fará as partes do processo automaticamente, como conectar-se à Origem e à Terra e limpar-se antes de uma cura. Eventualmente, quando reúnem experiências e aperfeiçoam suas intenções como curandeiro, as pessoas começam a se curar no instante em que entram na sala.

Starr Fuentes

Parte 1

A Sessão de Cura

Capítulo 1

O Papel do Curandeiro

O que é a cura? A cura pode se apresentar de várias formas e você aprenderá muita coisa sobre o que é ser um curandeiro neste manual — desde as coisas que precisam ser lembradas até a construção de sua ciência das energias, campos e processos de cura; e, finalmente, até as técnicas e exercícios que podem ser aperfeiçoados à medida que você desenvolve suas habilidades como curandeiro.

Ao observar a energia e a mecânica da física quântica, é possível começar a compreender vários pontos importantes sobre a cura. Em física quântica, uma partícula transforma-se em uma onda, e esta, por sua vez, transforma-se em uma partícula. Quando você materializa algo mental, emocional, física e espiritualmente, obtém matéria. Se for importante para você que seus vizinhos se importem com você, eles pensarão algo sobre você. Se algo é importante para você, ele se manifesta na Terra e, geralmente, dentro de seu corpo.

Quando você se liberta de uma energia, perdoando ou reconhecendo que a "matéria" existe, então a matéria pode ser transformada em outra energia, e esta energia pode ser levada para a direção que você escolher em sua vida. Quando você culpa e envergonha outras pessoas, e opta por não ser responsável pela sua realidade, a matéria é colocada nas mãos de outrem e não há como curar ou transformá-la de volta em uma energia vitalizada. Ao assumir a responsabilidade por sua própria energia e por aquilo que realmente é importante para você, a capacidade de mudar entra em cena.

O que você está mais apto para curar?

Algumas pessoas têm habilidades atléticas inatas, enquanto outras são naturalmente aptas a ser curandeiras. Se eu tivesse interesse em ser atleta quando era jovem, meu caminho de vida seria motivado por energias muito diferentes. As experiências de vida que atraí não seriam nem um pouco parecidas com o que vivi como professora, curandeira e aluna.

As experiências pessoais que você reúne ao longo da vida também irão determinar o tipo de curandeiro natural que você será. Seja um atleta ou um curandeiro, quanto mais você praticar e expandir suas habilidades inatas, melhor será seu desempenho.

Ser curado é a escolha do curado. O curandeiro é a conexão entre o curado e a Origem. Um condutor — é isso que significa a palavra *curandeiro* — de energia e de luz.

Alguns dos grandes curandeiros podem curar as pessoas apenas com sua presença. Outros podem usar sua voz, toque, ensinamentos, arte, livros, pensamentos, mãos, música ou orações para curar. A cura pode acontecer, até mesmo usando palavras simples, ditas no momento certo, vindas da Origem para você. Como curandeiro, você estará mais apto a curar as pessoas das coisas com as quais já tenha curado pessoalmente ou com experiências que tocaram a sua vida de maneira significativa. Você atrairá as pessoas que precisam ser curadas nas áreas em que você atingiu sua própria cura, passando por períodos em que magnetizará a mesma doença ou sintomas repetidas vezes, com uma pessoa após outra.

Tornando-se um condutor

A função principal de um curandeiro é ser um condutor das energias da Origem e da Terra. O curandeiro torna-se uma parte integrante dos campos que surgem, completando as vibrações para facilitar o processo de cura. Você é como um aparelho de televisão. Você, como curandeiro, não é o foco principal. Você não é o telespectador. A qualidade de seu equipamento individual de cura é composta por seus padrões pessoais. A resolução depende de quantas respostas você encontrou para os seus *próprios* desafios. A quantidade de canais que você é capaz de receber depende de sua capacidade de se abrir, expandir, mudar e buscar novos canais. Sua falta de julgamento e limitações criarão a cor, e o tamanho de sua tela será proporcional à sua intenção clara de curar. Quanto mais você curar a si mesmo, mais acesso terá a outros canais e, portanto, será mais fácil sentir o que está acontecendo com o curado.

Como um equipamento vivo, cabe a você manter sua qualidade e sua capacidade operacional. A sintonia fina começa sempre que você trabalha com um novo curado. Com o tempo, a conexão com o Espírito para a cura será tão fácil quanto ligar a televisão. O canal específico a ser sintonizado para a cura será fornecido pelo Espírito junto com cada cura.

> *A palavra curandeiro é apenas uma palavra.*
> *Deixe seu ego fora do caminho.*

Capítulo 2

O que os Curandeiros Precisam Saber sobre os Curados

O curado é alguém para quem você direciona a energia da Origem. O primeiro e mais importante ponto a ser discutido sobre as pessoas a serem curadas é o livre-arbítrio, que deve ser respeitado. Cada ser está exatamente onde deveria estar neste momento. Se você abandonar seus julgamentos e vir esses seres a partir do nível da alma, poderá entender o plano Divino, não importa quão "ruim" a situação possa parecer. Ao compreender que a alma está passando por uma lição intencional de desenvolvimento, você respeita seu livre-arbítrio. Por exemplo: o contrato de alma de algumas pessoas inclui ensinar a compaixão por meio do exemplo de como NÃO ser quando morrerem. Deixe o julgamento fora de seu caminho; não importa a aparência, a sensação ou o som, a cura irá, ou não, acontecer no plano físico de acordo com os termos do contrato da alma.

Curando amigos, familiares e pessoas queridas

É possível obter ótimos resultados utilizando as técnicas de *A Cura pela Energia* com seus familiares, amigos próximos ou com seu marido/sua esposa. Para uma ótima cura, em geral, é aconselhável pedir que uma pessoa de fora de seu círculo familiar/de amigos trabalhe com eles. Isso porque os familiares compartilham os mesmos, ou similares, padrões genéticos e energéticos. Quando o curandeiro e o curado compartilham esses padrões em uma sessão de cura, é mais difícil para o curandeiro reunir as energias apropriadas para atingir os resultados. Em outras palavras, esses padrões bastante similares podem atrapalhar as energias da cura.

Nas relações com amigos próximos e esposa/marido, chegamos a um ponto em que, consciente ou subconscientemente, desenvolvemos algumas predisposições e também compartilhamos o DNA. A predisposição poderia ser que amamos muito essa pessoa e queremos, desesperadamente, ver a cura acontecer, mesmo que ela não esteja alinhada com o bem maior de todos os envolvidos. O curado pode não estar consciente do resultado de que mais precisa, e o seu medo de perder essa pessoa ou de vê-la sofrer pode atrapalhar. O ponto essencial da cura de familiares, amigos e pessoas queridas é que o DNA, os sentimentos ou os pensamentos com relação a essas pessoas podem desviar o curandeiro de seu trabalho, que é ser um condutor claro da energia de cura da Origem. A melhor maneira de curar seu próprio padrão genético e energético é curar a si mesmo e, posteriormente, transmitir o modelo de sua cura para que seus amigos, familiares e pessoas queridas possam segui-lo.

Obtendo permissão

O curandeiro não deve forçar a cura em uma pessoa. Antes de uma cura, o curado deve, primeiro, pedir claramente a cura. Às vezes, o curado pedirá seu conselho e voltará outras vezes para se aconselhar mais sobre a situação, mesmo que não os coloque em prática. Esta é uma maneira de pedir uma cura. É importante compreender que, quando as pessoas reclamam de alguma coisa, elas não estão pedindo para serem curadas. Elas devem perguntar como mudar antes que você possa trabalhar com elas.

Tipos de curados

Os curados responderão à energia que vem da Origem, através de você, de várias maneiras.

É possível encontrar muitas combinações ou híbridos dos diversos tipos de curados abordados neste capítulo. Essas sugestões simples são apropriadas para qualquer tipo encontrado:

★ ★ ★ ★ ★ ★ ★ ★ ★ ★ ★ ★ ★ ★ ★ ★

☆ Mantenha o curado concentrado na respiração.
☆ Deixe que a Origem controle a cura.
☆ Concentre-se no fluxo de energia, não no curado.

Trabalhador

Estes curados trabalham tanto e têm muito de sua própria energia fluindo que, virtualmente, não há espaço para a energia que vem da Origem. É importante fazer que estes curados relaxem e concentrem-se em sua respiração. Eles utilizarão o movimento do corpo para canalizar a energia da Origem em vez de deixar que as energias fluam naturalmente para os lugares onde elas devem estar. Não confunda este curado com aquele que trabalha com a energia para que ela flua para onde quiser. O curado que trabalha com a energia não repetirá um movimento várias vezes.

Frio/branco

Estes curados ficarão extremamente brancos e manterão toda a energia dentro de si. O efeito é que eles ficam "mais frios" conforme a cura progride. Essas pessoas têm um medo tremendo de mudanças e apresentam a respiração muito superficial. Seus corpos ficam rígidos e, provavelmente, elas ficarão imóveis. Se você balançar o corpo delas gentilmente em diferentes pontos da cura, a energia à qual estão presas pode ceder gradualmente e a energia da Origem irá mover-se lenta e certamente para o curado. Faça que este curado respire profundamente e mantenha-se concentrado na respiração. Provavelmente, você precisará lembrá-lo de respirar várias vezes.

Falador

Estes curados querem conversar durante a cura. Consciente ou inconscientemente, querem controlar a cura, e fazem-no do modo deles. Eles darão todo tipo de motivos fantásticos para mexer nas suas mãos e mudar a forma como você direciona a energia. Lembre-os gentilmente de que a Origem está a cargo da cura e que a função deles é concentrar-se na respiração. Em geral, essas pessoas são curandeiras ou professoras.

Tossir/cuspir

Estes curados parecem não ser capazes de ligar a cabeça e o corpo. Eles eliminam a energia usada na garganta, tossindo ou cuspindo. Normalmente, eles têm "bocados" de cura. Incentive-os a cuspir e tossir o máximo possível e saiba que, em geral, serão necessárias várias sessões para completar a cura. Depois disso, eles pararão de tossir e cuspir e, quando isso acontecer, lembre-os de concentrar a energia no coração, para que você possa prepará-los para a grande porção de energia curativa que eles receberão.

Rebelde/resistente

Estes curados provavelmente passarão por todos os movimentos da cura enquanto depositam a energia em outro lugar, para que possam contar com ela. Às vezes, estes curados concentram-se tanto em sua respiração que chega a ser exagerado. Você não vai sentir o movimento da energia e, quando expressar isso, eles responderão assim: "Estou dando o melhor de mim" ou "Não sei como". Às vezes, o abandono funciona com este tipo. Diga ao curado que você está trabalhando mais que ele; em seguida, encerre e vá embora. Estes curados temem o desconhecido e, em geral, farão mudanças se tiverem uma descrição detalhada dos processos de cura e dos resultados que podem esperar. Observe essas pessoas e você aprenderá muito com elas — elas são mestres em manipulação e podem gerar uma distração facilmente. O rebelde/resistente aperfeiçoou a anulação de toda energia da Terra e da Origem.

Chorão/gritador

Estes curados foram treinados para movimentar a energia usando suas emoções. Esse comportamento não deve ser incentivado, desencorajado ou reconhecido. *Durante uma cura, você não deve acariciar ou confortar alguém que esteja chorando, qualquer que seja a circunstância*, pois isso pode ligar as pessoas aos seus problemas com abuso sexual. O conforto ou o consolo físico é prejudicial ao processo de cura, pois a concentração nessas questões suga a energia curativa da Origem, que poderia ser direcionada para outro lugar; e isto não irá ajudá-lo a aumentar a vitalidade do corpo do curado.

Viajante

Estes curados deixam seus corpos no momento em que a cura se inicia. Os viajantes são desafiadores por causa da dificuldade de se compreender como está o andamento da cura, pois não é fácil dizer onde eles estão. Você pode ter de trabalhar duro para intuir o que realmente está acontecendo com essa energia. Como os viajantes não estão em seus corpos, é mais difícil para um curandeiro determinar para onde a energia deve ir. Cuidado: esses tipos de curados deixam seus corpos em um escudo que diz que eles estão em boa forma; é preciso atravessar esse escudo.

Engolidor

Estes curados permitem que a energia movimente para cima os bloqueios existentes em seu sistema, levando-os para a saída. Quando a energia chega à garganta, eles engolem seu padrão, pois, subconscientemente, querem manter essa energia. Lembre-os de não engolir e explique que eles estão engolindo e retendo um padrão antigo.

Prendedor

Estes curados permitirão que as energias saiam de seu corpo. Quando você verificar, elas terão desaparecido. No entanto, eles têm um segredo: eles mantêm a energia que deveria ser jogada fora em seus punhos cerrados e as colocam de volta quando a cura termina. Em suas mãos, eles escondem energia negativa, dor ou energia de assuntos fundamentais; portanto, não é algo que fica evidente imediatamente para que o curandeiro sinta nos corpos. Além disso, cuidado com as mulheres e homens com cabelos longos que, no final da cura, colocam a energia nos cabelos. Em geral, fazem isso torcendo mechas ou executando um movimento intenso com os cabelos.

Mastigadores

Estes curados deixarão que toda a energia usada suba para seus rostos e contorcerão os músculos da face para manter a energia. Parecerá que todos os traços do rosto estão comprimidos em um círculo de dez centímetros. Gentilmente, relaxe os músculos da face enquanto transmite energia com a outra mão. Este curado vai ter dificuldade para chorar, embora seus olhos possam estar cheios d'água. Incentive-os a chorar (não toque neles) e espere até que várias lágrimas rolem pelo rosto. O mastigador pode até negar que está chorando com afirmações sem sentido: "Meus olhos estão lacrimejando" ou "Tem alguma coisa no meu olho". Se o curado fizer negações, fique em silêncio e mantenha o fluxo de energia.

Suposições

Não importa com quais tipos de curados você está trabalhando, não suponha que eles estejam acabados. Utilize seu conhecimento e a prática da energia para ver, sentir ou ouvir o que está acontecendo, para que você receba as informações das quais eles podem não estar cientes. Frequentemente, as pessoas dirão que estão des-confortáveis quando, na verdade, não é o caso. Em geral, a origem do des-conforto é um sistema de crenças enraizado e obsoleto, que precisa ser eliminado.

Não suponha que seu curado esteja saudável. As pessoas aparentemente saudáveis também podem apresentar uma aura de não-vitalidade. Embora a vida dele pareça estar em ordem, pode ser que não seja bem assim. Verifique.

Quatro perguntas

Antes da sessão, faça estas quatro perguntas ao curado e peça que eles escrevam suas respostas. O objetivo é que eles iniciem uma conversa com a matéria que desejam curar:
- ☆ Qual é o seu desafio?
- ☆ Como você sabe o que tem?
- ☆ O que fez com relação a isso?
- ☆ O que pretende fazer?

É importante que você não use sempre as mesmas palavras com cada curado. Parafraseie as perguntas, deixando que as respostas saiam da boca do curado.

Nota final

O curado aproveitará mais a sessão se ele tiver um investimento material na cura, portanto é importante que você cobre pelas sessões de cura. Você descobrirá que aqueles para quem trabalha de graça não levarão a cura tão a sério quanto as pessoas que têm um investimento energético ou financeiro.

> *Como curandeiro, você é apenas o condutor das energias curativas. A Origem e o curado é que estão fazendo o verdadeiro trabalho.*

Capítulo 3

Conectando-se às Quatro Energias

É necessário estabelecer uma conexão limpa e clara com as quatro energias ou forças para que você perceba mais fortemente as curas possíveis. Durante o processo de cura, acordos são feitos com essas energias, que podem ou não ser comunicadas ou recebidas conscientemente pelo curandeiro ou pelo curado. O poder combinado dessas quatro energias cria as forças que trabalharão juntas para fornecer a cura mais completa possível. Se qualquer uma dessas energias estiver desalinhada com o poder da luz, ou se não estiver funcionando de maneira harmoniosa, a qualidade da cura pode ser severamente diminuída ou anulada.

Quatro energias e forças curativas

Origem – peça e você receberá

Existem muitas maneiras de pedir à Origem para receber energia. Às vezes, uma intenção sincera de curar é sinal suficiente para a Origem. Em outros momentos, pedir com o coração e com a mais sincera gratidão pela vida cria uma conexão profunda com a Origem. O mais importante de tudo: siga sua intuição e você se tornará um condutor das energias curativas da vida. Você sabe que está conectado com a Origem quando sua vida flui suavemente (sem trombar com as coisas, sem tropeços e assim por diante).

Você mesmo – a intenção do curandeiro supera a técnica

Existe um acordo com seu ser superior e com seu ser inferior que permite que você sirva de condutor das energias da Origem. Também existe um acordo com seu ego para que ele fique fora do caminho enquanto você for o condutor da Origem. O acordo existente com seus seres superior e inferior iniciou-se durante seu contrato de alma, que tende a vacilar mais.

Curado – concede permissão para ser curado

O acordo do curado exige a permissão deste para você trabalhar nele, o qual está à vontade ao longo do processo.

Terra – acesso por meio da conexão consciente

Estamos conectados à Terra porque temos um corpo. A Terra é uma das ferramentas mais poderosas à disposição do curandeiro bem instruído. A Terra toma as energias emitidas durante uma cura e as recicla em novas energias, preparando-as para ser utilizadas em outro local. A Terra decide qual é a melhor reutilização dessas energias. A importância de se manter na terra durante uma cura é vital e não pode ser exagerada. Os curandeiros receberão da Terra as novas energias necessárias para facilitar as mudanças no plano físico. Conforme recebe as energias da Origem mediante seu chacra da coroa, você pode facilitar a mudança dos pensamentos e emoções que, originalmente, criaram o desconforto e os sistemas de crença que mantêm esse desconforto.

Tomando ciência de sua conexão

Existem algumas regras a ser discutidas, que irão aumentar a qualidade e a quantidade das energias curativas que passam por você. Busque essas energias no exterior e no interior, simultaneamente, pois elas existem tanto no

Universo quanto dentro de você. Ao se conectar com essas forças, é importante saber que elas são abundantes em todo lugar, sendo suficientes para todos. No momento em que fizer um julgamento sobre qualquer aspecto que faça parte da cura, você se separará das energias da Origem. Como curandeiro, cada julgamento fica no caminho da cura e limita a qualidade das energias que vêm da Origem até você.

A ciência de como essas forças se movem através de você e a conexão consciente que você cria antes de cada cura permanecerão até que você saia do momento do AGORA. Comprometa-se a estar totalmente ciente do instante em que seu pensamento passe para o futuro ou para o passado, ou se um julgamento surgir. Se isto acontecer, pare e restabeleça sua conexão com as quatro forças.

Exercício para a reconexão

Fique em pé no meio da sala e note tudo ao seu redor. Note que o chão está suportando seu corpo. Note as janelas que deixam a luz entrar. Note o teto e as paredes. Em seguida, note todo o restante da sala. Como a mobília facilita sua vida? O que há na sala que acrescenta beleza? Quais objetos estão ali com um propósito? Continue observando todo o restante.

Para co-criar uma cura no plano físico, você precisa apoiar-se em um chão ou em uma base por onde a energia da Terra possa entrar em seu corpo. Note o ar acima de sua cabeça e o teto. Existe uma conexão invisível com a Origem que nos mantém de pé, alimentando as energias do corpo. Essas energias também são necessárias à cura. Agora, feche os olhos; em sua mente, faça uma lista de tudo o que há na sala. Agora, abra seus olhos e veja o que você esqueceu. Mesmo que tenha se esquecido de listar os objetos, eles continuam na sala.

Na cura, os objetos que nos rodeiam são como a intenção: eles existem com uma função e nos confortam. Quer reconheçamos ou não sua existência, eles são energias ativamente presentes em todos os momentos. Note que sua própria presença como curandeiro lhe dá permissão de pedir e receber as energias necessárias à cura. Saiba que sua intenção de curar superará a técnica empregada.

Sempre presente

Assim que aprender uma técnica, ela se fará sempre presente. Estará lá, mesmo que você não se lembre dela conscientemente. Em geral, você tem permissão suficiente para fazer a cura quando o curado solicita uma sessão. Antes de iniciar sua cura, note que, se você pensar na Origem e na Terra por um instante, saberá que elas estarão presentes o tempo todo; tenha ciência de que você (o ego) é tudo que pode atrapalhar o caminho.

★ ★ ★ ★ ★ ★ ★ ★ ★ ★ ★ ★ ★ ★ ★

> *As únicas coisas que limitarão seu poder de cura são você e sua capacidade de manter uma conexão do AGORA com as quatro energias.*

Capítulo 4

Negociando os Campos de Cura

Uma força é uma energia que se move em uma corrente, enquanto um campo é um recipiente para a energia. Os campos de uma sessão de cura são formados a partir das energias combinadas de todas as forças e pessoas presentes na situação de cura. O campo da integridade é o aspecto mais importante durante a cura. Como você aprenderá, quando sua integridade é incompleta, há muitas maneiras de usar, vazar e consumir energia antes que ela chegue ao curado.

Existem vários campos presentes em uma sessão de cura. Neste capítulo, observaremos o que compõe os campos básicos, onde a maioria das curas acontece, juntamente com o sistema de chacras e a aura.

Campos básicos da cura

Uma das informações mais negligenciadas com relação à cura são os três campos básicos criados pelo curandeiro, pelo curado e pelas forças.

Espaço

É o lugar ou área física onde a cura acontece. Ele inclui as energias presentes da construção, do dono da construção e dos acontecimentos passados que ocorreram nesse espaço. A qualidade do ar, os cheiros e os sons afetarão o espaço que você utiliza para criar um campo de cura.

Ressonância

Como todas as energias de uma sessão de cura combinam-se entre si, elas formam um campo de ressonância. Esse campo é ressoante com a vibração do curandeiro e do curado, que é uma combinação de todas as forças que estão em ação com as energias inatas que se aplicam a uma cura específica. A qualidade geral da cura depende de seu reconhecimento das energias presentes e de sua capacidade de utilizá-las para o bem maior de todos os envolvidos.

Resultado

Tenha confiança de que o resultado da cura será exatamente o que deve ser. Em algumas curas, acontece a transmutação física; em outras, as energias são substituídas nos níveis mais elevados para criar a estrutura que está em alinhamento com o contrato de alma da pessoa. Às vezes, você não verá nem sentirá ou saberá que uma cura aconteceu. Certifique-se de que ela tenha acontecido.

Aura

A aura é um conjunto de vibrações criado por nossos pensamentos, ações e feitos. Compreenda que, se você optar por não agir sobre algo, isto, em si e por si, é uma ação e, portanto, torna-se parte de sua aura. A aura contém as vibrações mais importantes, desde os batimentos cardíacos, o movimento do sangue pelo corpo, o movimento dos pulmões até as vibrações mais sutis, como um desmaio por saber que algo é inapropriado, um leve desconforto com relação a outra pessoa ou uma questão física ilimitada.

A luminescência fantástica da aura de um mestre espiritual e a aura suja e desbotada de uma pessoa magoada, sem-teto, são as consequências da capacidade da pessoa de responder à vida. As auras não ficam luminosas ou desbotadas em razão de uma série de escolhas e não-escolhas, de ação ou reação aos desafios da vida. As auras tornam-se a expressão da maneira como as pessoas lidam com a vida.

Utilizando a analogia de um carro, a aura é o motor que reúne nossos pensamentos, intenções, disciplinas, resistências, medos e rebeliões; ela começa magnetizando-nos ou movendo-nos para situações da vida em que essas energias podem ser expressas no plano material. Sua aura é como o interior de seu carro. Ela pode mostrar o lixo daquilo que você não foi capaz de se livrar, a sujeira da negligência, a energia da organização ou da impecabilidade. Ela fala sobre a maneira como você manifesta sua vida. Na aura, seja apropriado ou não, existem energias que ainda não foram tratadas.

Se você optar por aprender sobre as cores, as diferentes formas de pensamento e marcas, as lesões e os buracos significativos na aura, certifique-se de utilizar duas ou três fontes diferentes. É importante que você tenha em mente que o estado da aura é o estado futuro do corpo. Os dois lugares onde a doença surge, um ano antes de se materializar no corpo, são na íris dos olhos e na aura.

O sistema de chacras

Chacra é uma palavra em sânscrito, que significa "roda". Um chacra é um receptor e um vórtice, que recebe, percebe e filtra suas energias e as do mundo ao seu redor. Quando você, subconsciente ou conscientemente, opta por lidar ou não com as energias, você escolhe se seus chacras serão saudáveis, vitais; se funcionarão mal ou serão desligados.

Existem muitos livros sobre chacras; leia alguns. É possível encontrar desenhos na internet com detalhes específicos sobre cada chacra. Falarei sobre o que eles não falam. Saiba que os parágrafos a seguir são um complemento a qualquer coisa que você tenha aprendido sobre chacras. Seria uma ótima ideia familiarizar-se com os chacras antes de ler o restante desta seção e, se você não estiver familiarizado, pule os próximos parágrafos.

Departamento de pesquisa e desenvolvimento

Os chacras são o departamento de pesquisa e desenvolvimento para tomar as decisões e fazer as escolhas excelentes de sua vida. Sua capacidade de captar vibrações finas e sutis é inspiradora. A diversidade de fatos, afirmações e dados que os chacras enviam a cada instante à mente subconsciente e inconsciente é inacreditável. Quando tomamos decisões, achamos que sabemos por quê (conscientemente). O verdadeiro motivo para tomarmos decisões vem dos dados subconscientes/inconscientes que os chacras transmitem à mente subconsciente e inconsciente.

Em nossa jornada moderna pela satisfação imediata e para tornar as coisas mais fáceis e confortáveis, atiramos chaves inglesas em nosso sistema de chacras. Depois de compreender que negação, apatia e anulação, injetadas em um chacra, são a mesma coisa que enfiar um dedo na tomada, nossos chacras podem ter uma condição saudável, vital.

A falta de informação geral sobre os chacras e a saúde leva mais pessoas para a terapia do que as questões familiares. Como curandeiro, uma percepção aguçada do sistema de chacras do curado é essencial para o suporte geral da cura.

Centralizando-se dentro dos campos

A sessão de cura é uma oportunidade para o curado relaxar, sendo responsabilidade do curandeiro criar o ambiente para a cura. O desafio, para o curandeiro, é permanecer ciente com relação à tensão no campo e ficar centrado. À medida que o curado começa a responder às forças que estão em ação e a onda de cura está em progresso total, a mudança acontece. Quando o desconforto sai do corpo do curado, ele passa para o campo e, em seguida, para a terra. Às vezes, dependendo do nível de integridade do campo, a energia vai deixar o curado mais rápido do que o campo pode dissipar, exigindo que a cura se movimente de maneira gentil, fácil e rápida.

Experimentando os campos

Uma das melhores maneiras de se tornar um curandeiro excelente é praticar e trabalhar em si mesmo. Como curandeiro experiente, sua facilidade com o desconforto do curado é uma parte vital. As experiências com sua própria cura irão ajudá-lo a ficar mais confortável com todas as forças e energias presentes durante uma cura. Esse é o motivo pelo qual um curandeiro, que já tenha se curado, tem mais habilidade para curar outras pessoas, pois, quanto mais você cura a si mesmo, mais energia pode conduzir a partir da Origem. Quando a mistura de forças e energias acontece, a cura também se faz presente. Essa mistura resulta em uma sensação mais elevada de conforto para o curado, e essa sensação acontece em um nível muito maior do que antes da cura. De todo modo, o curandeiro deve monitorar os níveis de energia no campo conforme a cura progride.

Trabalhe primeiro para curar a si mesmo e, no resultado final, você terá maior esclarecimento para ajudar as forças a elevar o nível de energias de ambos.

> *Ao curar a si mesmo primeiro, sua capacidade de curar as outras pessoas aumenta drasticamente.*

Capítulo 5

Como Funcionam as Energias

Existe muita discussão sobre o conceito da energia nos textos espirituais. Neste capítulo, você explorará as energias vitalizantes e não vitalizantes e verá a energia a partir de várias perspectivas. Este reconhecimento irá ajudá-lo a formar uma base para lidar com as fontes de luz que todos nós utilizamos na velocidade da luz.

Todos nós conhecemos os cinco sentidos *básicos:* paladar, tato, visão, olfato e audição. Também existem cinco sentidos *leves*. Em geral, um curandeiro iniciante terá uma tendência natural para exibir, no mínimo, um dos cinco sentidos leves. Conforme amadurece, a aspiração do curandeiro é aperfeiçoar os cinco sentidos discutidos neste capítulo.

Cinco sentidos leves

Carismático

Este é o sentido leve mais difícil de explicar. O sentido carismático fica lembrando a você de que há mais a conhecer e a saber na situação. Este sentido leve nos mantém fascinados pelo processo de cura e interessados até mesmo nos momentos mais entediantes. Essa energia tem um efeito profundo no curado. O efeito de algumas palavras de um curandeiro carismático inspirará o curado a fazer uma mudança significativa em sua vida. A energia carismática permite que você saiba que existe uma resposta para nossas questões mais profundas.

Elétrico

Este é o sentido leve que parece estar presente em todas as situações. Similar à eletricidade, o sentido leve elétrico tem uma carga. Os curandeiros elétricos parecem estar ocupados produzindo e acrescentando energia de todas as formas para as pessoas com quem estão interagindo. O sentido elétrico é aquele que faz as pessoas virarem a cabeça para ver o que mudou a energia de uma sala quando uma pessoa entra. Em razão do seu elevado senso de ciência, este sentido leve permitirá que você saiba quando mudar a direção de seu foco em público. Este sentido é responsável pelo arrepio dos pelos de seu braço em determinadas situações. O elétrico permite que você sinta a energia se movendo do curandeiro para o curado. Os curandeiros elétricos tendem a "liquidar" as pessoas e as doenças com suas energias curativas. Dois curandeiros elétricos podem dar um pequeno choque. Se uma pessoa o tocar e você pular, é a energia elétrica.

Magnético

Este sentido leve é a energia que puxa você e suas mãos quase que automaticamente na direção de pontos específicos do curado. É o sentido leve ativado imediatamente depois que uma pessoa se faz presente e você pergunta se ela está bem. A energia magnética puxa as pessoas para os braços do curandeiro magnético para um abraço. Estranhos iniciarão conversas sobre seus problemas com os curandeiros magnéticos. Esses curandeiros assumem os papéis de mãe e educadores — o excesso desses papéis pode fazer com que o curandeiro magnético conserte o curado em vez de permitir que a energia flua entre a Origem e o curado. Dentre os cinco tipos de sentidos leves, os curandeiros magnéticos precisam concentrar-se, específica e diligentemente, na limpeza, na base e na conexão. Lidar com uma energia magnética forte é um desafio, pois ela pode atrair para nós as "coisas" do curado. O desafio do curandeiro magnético é curar sem absorver a energia do curado. Esteja ciente de que, se você atrair as coisas do curado, não mais servirá como curandeiro; você será um curado.

Eletromagnético

Este é o sentido leve que avalia a atração e a repelência da energia no curado. Esta energia é extremamente poderosa, pois assim como as necessidades do curado mudam, o volume e o fluxo da energia eletromagnética também mudam. Às vezes, essa energia pode ser equilibrada de maneira uniforme. No entanto, em outros momentos, a porcentagem das energias elétrica e magnética flutuará dependendo do que vem da Origem. Uma ciência aguçada da energia eletromagnética permite que o curandeiro acesse um bloqueio de maneira precisa. Um curandeiro que usa a energia eletromagnética pode ser valioso em quase todos os tipos de cura. A energia eletromagnética tem a mesma energia que as marés do oceano — e é preciso ter um pouco de cuidado quando um curandeiro é levado para o lado da essência do curado.

Presença

Este é o sentido leve que, quando fortemente desenvolvido, pode curar e afetar as pessoas que estão apenas presentes no campo de energia desse ser. É o tipo de energia da Origem que se faz presente e fornece uma sensação de bem-estar geral. Esses tipos de curandeiros são aqueles de quem todos parecem gostar de conversar e de estar na companhia. As pessoas com presença incorporaram-na tanto em sua personalidade que, em geral, dificilmente sabem que são curandeiras. Elas pensam que têm apenas um bom senso de humor e amam fazer as pessoas sentirem-se bem. A presença é um suporte amplo, suave e que traz uma sensação boa. Um curandeiro presente pode ficar muito confortável com a não-utilização de palavras; no entanto, note que, às vezes, é muito benéfico para o curado ouvir algumas palavras do curandeiro.

Comprimentos de onda do sentido leve

A energia assumirá a forma de um dos sentidos leves depois de vir da Origem e entrar no corpo. Os sentidos leves entram no curado de maneira alterada, concentrada, diminuída, aumentada, espalhada e modulada pela técnica específica usada pelo curandeiro.

Os sentidos leves estão em todas as partes dos corpos sutis e cada sentido reagirá com um comprimento de onda específico. A energia, ou a "onda", vai se comportar como as ondas do oceano — haverá picos e baixas na energia.

Os picos da onda são quando a energia está aumentando para a maior amplitude e voltagem que o curado pode suportar. Todos os sistemas corpóreos e de energia do curado absorvem energia. Neste ponto, o curandeiro ainda aumenta a quantidade de energia que está sendo canalizada a partir da Origem.

A parte baixa da onda é quando a energia da Origem parece diminuir. Todos os sistemas corpóreos e de energia do curado — isto é, aura e meridianos — estão integrando a energia. No momento da baixa, é importante que o curandeiro permita que o processo de integração aconteça. Esse não é o momento de empurrar as energias nem de se abrir mais para a Origem.

Os momentos de baixa são perfeitos para limpar a energia do campo de cura, pois a energia utilizada está saindo do curado.

Depois de ficar na baixa, o curandeiro sentirá, novamente, as energias da Origem passando para o curado; esse é o momento das técnicas. Os corpos sutis do curado estão prontos para absorver a luz e a energia em um nível superior, e o curandeiro pode, de maneira gentil, fácil e rápida, aumentar as energias que estão entrando.

Energias externas

Em geral, um barulho ou um movimento na sala altera a integridade do campo de cura. Espere não haver incidentes. Em minha experiência pessoal, perdi a conta do número de vezes em que um animal de estimação entrou no campo para apontar uma energia importante da qual eu não tinha ciência. As vezes em que me esqueci de desligar o telefone serviram para ajudar a alterar minha ciência para um local do curado que não estava recebendo energia suficiente. Aprendi que, quando perco a onda da sessão, uma interrupção acontece para me guiar para a reconexão com a onda.

A energia que se movimenta durante o processo de cura pode ser incorporada em uma sessão por meio de afirmações como:

☆ Tudo o que acontece faz parte desta cura.
☆ Cada distração nos permitirá uma conexão ainda maior com a cura.
☆ Quando nos unimos à Origem, tudo se unifica conosco.
☆ Os sons e os movimentos amplificam a sintonia fina da Origem.

Fluxo de energia

A energia está presente em todos os lugares. Ela flui em seu universo exterior e interior, constantemente, expandindo-se ou contraindo-se. Existe energia em seus movimentos, em sua voz e em seus pensamentos. A energia mais vital que você utilizará na cura é a do pensamento. Quando seu pensamento está conectado à Origem e sua intenção de cura é forte e clara, a cura acontece, não importa a técnica que você esteja empregando.

Esta é a primeira regra da cura: a intenção supera a técnica.

Esta regra diz que a única coisa de que você realmente precisa para curar a si mesmo ou qualquer pessoa é sua forte ligação com a Origem, para que as energias curativas fluam através de você. Lembre que, como curandeiro, você *serve* de condutor para as energias curativas. Durante o processo de cura, é vital que você mantenha a posição de condutor e permaneça ligado à Origem. Resumindo: a cura acontece entre a Origem e o curado.

Permanecer conectado com a Origem envolve cinco práticas simples que são seguidas durante a sessão:

☆ Fique no AGORA.
☆ Mantenha, gentilmente, o foco no fluxo de energia.
☆ Utilize palavras essenciais em seus pensamentos (por exemplo: *verdade, cura* e *amor*).
☆ Esteja presente e sinta a energia fluindo de você para o curado a partir da Origem.
☆ Que venha de seu coração, não de sua cabeça.

Entre na onda

A energia tem uma relação ressonante de fluxo, que será diferente em cada cura. Tome ciência dessa relação ressonante e permita que a energia o conduza, em vez de você forçar a energia. Haverá momentos em que você saberá que o curado absorveu tudo o que podia naquele nível. Esse é o momento apropriado para permitir que a baixa da onda complete seu ciclo. Quando a baixa da onda é completada, faça que as energias passem a um nível superior.

Se você se lembrar de uma coisa sobre energia, recorde-se de que, como o som e a luz, a energia é uma onda. Você deve navegar a onda em seus picos e baixas, pois é assim que a energia chega para curar o curado. Entrar na onda significa notar quando a quantidade de energia que o curado pode absorver está diminuindo naturalmente. Nesse ponto, a maioria dos curandeiros novatos tenta manter a energia no pico da onda. No entanto, esse é o momento da baixa ou integração. Permita que ela aconteça.

Sua ciência como curandeiro (o corpo está na baixa da onda de energia e está integrando esta energia para a cura) abrirá o curado para uma cura mais rápida. Ao não forçar a energia e permitir que ela ressurja, você ativará o processo natural da cura no corpo do curado. Ao elevar os corpos sutis para uma relação em que você possa, novamente, permitir que a energia flua através de você em uma taxa alta, você experimentará outra onda, e mais uma e assim por diante.

Às vezes, você intuirá alterações nas energias conforme o corpo do curado se abre para receber mais energia em seu processo de cura. Seja qual for o sentido leve empregado, lembre-se de deixar que a energia flua *através* de você e não a force mais a entrar no corpo do curado. Você fará a alteração e continuará sentindo as mudanças nas energias conforme reposiciona suas energias para que elas fiquem alinhadas com a ressonância da Origem.

> *A ciência dos sentidos leves q[ue] passam por você aumentará significativamente suas capacidades como um poderoso condutor da energia curativa da Origem.*

Capítulo 6

Utilizando os Elementos para Transformar

E xistem quatro Elementos básicos para trabalhar durante o processo de cura. Esses Elementos são os catalisadores da transformação da matéria. Cada vez que ocorre uma mudança no plano físico, um desses Elementos está envolvido diretamente ou se encontra em conjunção com as leis da física. Esses quatro Elementos há muito são considerados sagrados em muitas tradições, principalmente no Oriente. Leia sobre a cura Ayurvédica se suas informações sobre os Elementos for mínima.

Os quatro Elementos

Ar

O Ar é o Elemento mais rápido, gentil e fácil de utilizar. Portanto, muitos curandeiros iniciantes aperfeiçoam, primeiro, a utilização do Ar antes de passar para os outros Elementos. Para os mais experientes, mas que podem não ter utilizado o Ar, trabalhe com ele por um tempo e observe a eficiência e os resultados rápidos.

O Ar parece saber como entrar até mesmo pela menor das aberturas. Grande parte do corpo utiliza oxigênio, de uma forma ou de outra, e o Ar contém vitalidade, permitindo que as funções naturais de cura do corpo sejam ativadas. A energia utilizada é absorvida pelo Ar e rapidamente eliminada do sistema de energia.

Quando estiver trabalhando em si mesmo, o Ar terá muito pouco efeito. Entretanto, quando o curado e o curandeiro se unem, o curandeiro propicia o *momentum* para que a Origem ative o movimento do Ar como um sistema de filtragem. Os corpos sutis mais baixos usam o Ar para, em seguida, remover as energias não vitalizantes de um curado.

O momento em que o poder do Ar se mostra mais forte é logo antes de uma tempestade, por causa da quantidade de cargas elétricas e da presença do ozônio. Recomendo que, como curandeiro, uma das melhores coisas que você pode fazer é sair antes de uma tempestade. Você experimentará a diferença em seus corpos sutis quase que imediatamente. Este exercício constrói o reconhecimento que pode ajudá-lo a identificar a energia do Ar que está em funcionamento durante a cura de uma pessoa.

Este Elemento pode ser uma brisa suave, que abranda as pontas mais afiadas, ou um furacão, que pode transformar um tumor em migalhas. Para praticar a amizade com o Ar, invoque este Elemento para ajudá-lo, assim as curas serão suaves, fáceis e rápidas.

Os principais efeitos colaterais de um curandeiro que utiliza o Ar para conduzir a energia da Origem são arrotos, bocejos, espirros ou flatulências. Você também notará que o estômago do curado fará ruídos conforme o ar se movimenta através dos órgãos do abdome.

Mais adiante, na seção Caixa de Ferramentas do Curandeiro, discutiremos a utilização do Ar combinada com os outros Elementos e as diferentes cores para sintonizar as energias para o maior grau de cura.

Água

A Água é um Elemento corrente, que tende a preencher e limpar qualquer área que possa acessar, transportando energia leve suficiente com sua habilidade de conduzir energia. A "onda" é levada pela Água e pode ajudar as pessoas que precisam reconhecer onde e como a energia está fluindo durante a sessão de cura. A Água jorra e inunda as áreas onde as energias não vitalizadas se acumularam durante um curto ou um longo período de tempo. Pequenas quantidades da energia Água são mais fáceis de ser controladas pelo curandeiro e de ser usadas de maneira revitalizante. Quando um curandeiro utiliza o Elemento Água, o nariz do curado e do curandeiro pode escorrer. Eles podem urinar com mais frequência, chorar e até vomitar. Isso acontece porque as toxinas e energias usadas saem do curado para o corpo de água mais próximo.

A Água não deve ser usada com úlceras, sangramento ou qualquer doença que tenha forma de líquidos em excesso, pois agravará a condição.

Fogo

O Fogo é um dos Elementos mais rápidos. A utilização do Fogo é desafiadora, pois assim que a energia começa a fluir, pode ser difícil extingui-la. O Fogo tende a consumir tudo em seu caminho. Às vezes, o Fogo não consegue diferenciar energias vitais e não vitais, então consome as duas. O Fogo precisa de uma quantidade enorme de energia para se manter. Às vezes, os curandeiros pensam que o calor que eles e o curado sentem vem da mão do curandeiro. O calor vem das energias não vitais e das energias usadas que estão sendo removidas do curado pela Origem.

Quando o Fogo está sendo usado, há uma tendência para que o curandeiro e o curado se esquentem. A temperatura da sala pode até aumentar entre um e cinco graus. O Fogo consome grandes quantidades de energia, e não é gentil com o curandeiro.

Não utilize o Elemento Fogo para curar bebês ou qualquer desconforto em que o calor esteja presente. Existe um motivo válido para o clichê "com fogo não se brinca". Brincar com Fogo pode levar a uma sobrecarga no sistema do curado e danificar o corpo dele.

Quando você trabalha com um curado sem motivação ou inspiração, o Fogo ligará o movimento do curado. O Fogo consome as energias não vitalizadas, trazendo uma nova vitalidade para a vida do curado.

Terra

A Terra é o Elemento mais estável e embasado. Basicamente, a Terra é composta de energia da presença, apresentada anteriormente, embora os cinco sentidos leves estejam presentes nos diferentes minerais da terra. Quando o Elemento Terra se apresenta em determinadas formas, ele é formidável como as montanhas são para a terra e como o câncer é para o corpo. Algumas energias podem fazer com que a Terra perca forma. Porém, como a Terra pode rachar e explodir, é importante que o curandeiro esteja ciente se o curado está absorvendo ou não a Terra. Se você está trabalhando com um "rei do drama espiritual", estas pessoas, em geral, estão no ar. Ajudá-las a encontrar o equilíbrio utilizando as energias da Terra pode resultar em uma cura extremamente poderosa para elas. Isto as ajuda a ancorar seu espírito à Terra.

Quando um curandeiro utiliza a energia da terra, consciente ou inconscientemente, ele toma o desconforto para si. Às vezes, quando o curandeiro tem um alto nível de vitalidade, ele pode transformar um desconforto não crônico em poucos dias. Se você não é um curandeiro experiente, trabalhar com o Elemento Terra pode ter ramificações que duram por dias após a cura. A Terra se move lentamente, portanto a sessão para o curado durará além da sessão, já que precisará de mais tempo e energia para que as energias não vitalizadas do curado passem para o curandeiro. Um curandeiro esclarecido e experiente pode trabalhar de modo eficaz com a Terra quando consegue compreender as leis universais nas quais a energia reside.

Compreendendo o poder elemental

Você pode utilizar seu entendimento dos poderes dos quatro Elementos a seu favor. Saiba que, quando o curado tem uma manifestação física de desconforto, a cura será um processo mais suave quando o curandeiro — e não o curado — criar ou invocar o Elemento para facilitar a transformação do desconforto. Como curandeiro, é útil identificar com qual Elemento (s) você pode, natural e facilmente, trabalhar. Muitos curandeiros trabalham, principalmente, com um Elemento, embora essa não seja uma regra fixa. A maioria dos curandeiros pode expandir seu repertório e trabalhar com todos os Elementos, enquanto alguns optam por se especializar. Se você optar por se especializar em um Elemento, esteja consciente de quem são seus curados e de qual Elemento eles precisam para serem curados. Por exemplo: se um curado alcoólatra vai a um curandeiro que usa a água, é essencial que esse curandeiro utilize qualquer Elemento que não seja a Água ou informe ao curado que ele não é o melhor curandeiro para ele, indicando outro.

Quando ocorre uma mudança no plano físico, um dos quatro Elementos está envolvido.

Capítulo 7

Movimentando as Energias pela Conexão com a Terra

A conexão com a terra é o processo de ficar em contato com o físico para que as energias da doença do curado possam passar por você e ir para a terra, que está mais próxima da relação vibratória do curado do que a Origem. A terra, então, absorverá as energias doentes e as transformará em vitais.

Uma parte importante da conexão com a terra é manter os chacras existentes na planta dos pés abertos para que a energia possa fluir da Origem através de você para o curado e, em seguida, para a terra, passando por você novamente.

Passos para a conexão

☆ Comece o fluxo de energia em seu pé direito, em direção à terra. Imagine que a energia cria um semicírculo sob a terra, cujo arco termina no pé esquerdo. O arco ficará aproximadamente 20 centímetros sob a terra. Isso é suficiente para transformar a energia e não tocar nenhum chacra.

☆ Imagine três raízes saindo de seu pé direito em direção à terra. Imagine três raízes saindo da terra e entrando em seu pé esquerdo.

☆ Imagine a Lua sob seu pé direito e o Sol sob o pé esquerdo. Tanto o Sol quanto a Lua lidarão com as energias para o bem maior de todos os envolvidos.

☆ Imagine um rio ruidoso fluindo a partir de seu pé direito e levando a sujeira junto com ele. Imagine um gêiser de água pura da fonte saindo da planta de seu pé esquerdo.

☆ Imagine o tempo fluindo de seu pé direito e a conexão presente com o AGORA fluindo para seu pé esquerdo.

☆ Imagine um arco-íris fluindo de suas mãos e de seu coração. Crie o arco-íris em metais (cada cor do arco-íris, neste exercício, tem um valor metálico) saindo da terra e entrando em seu pé esquerdo. O arco-íris sai do pé direito em forma de luz pura. Em diferentes partes de seu corpo, o arco-íris assumirá as características da Água, do Fogo e do Ar (todos os Elementos são representados entre a entrada pelo seu pé direito e a saída pelo pé esquerdo).

Mantendo o campo

A *limpeza* é o processo de movimentar as energias para fora do campo por meio do pensamento, da respiração ou do movimento. Quando você está conectado à Origem, o pensamento — "limpe este espaço das energias usadas" — é suficiente para centralizar as forças e as energias. Se as energias trouxerem uma sensação espessa e/ou vacilante, respire fundo pelo nariz, imaginando que está puxando o ar diretamente de cima de seu chacra da coroa, e expire pela boca. Qualquer movimento da mão ou do corpo do curandeiro empurrará as energias usadas para fora do campo.

O *arredondamento* é o método de aparar as pontas do campo à medida que a cura progride. Conforme mais e mais energias são removidas do corpo do curado, elas tendem a se acumular nos cantos do campo, principalmente quando se movimentam rapidamente. Esse é o momento em que o curandeiro pode remover as energias usadas do campo.

O curandeiro, de modo fácil e gentil, compacta as energias do campo de cura conforme a cura progride. Isto pode ser conseguido por meio da remoção de camada por camada do campo externo, como em uma cebola. Outra maneira de fazer isso é compactar as forças e energias mais puras do campo com frases como: "Que a Origem fique mais forte e mais compacta". Você pode pensar ou dizer isto e sua intenção levará a mensagem ao espírito. Confie no bem maior de todos os envolvidos para manter a luz e o poder da Origem com grande intensidade. Isso mantém a energia em movimento e a cura na onda.

A *conexão com a terra* é o processo de ficar com os pés no chão e, o mais importante, com os chacras das plantas dos pés abertos para que as energias possam fluir do pé esquerdo para o direito. Essa troca energética com a terra é muito importante, pois grande parte do desconforto do plano físico no corpo é uma energia muito carregada e o fluxo irá, naturalmente, para a energia que tenha vibração mais próxima.

> *Ao começar a arquivar a maioria dessas informações no subconsciente e praticá-la conscientemente por um tempo, seu ser superior começará a fazer essas coisas automaticamente.*

Capítulo 8

Frases Preparatórias para a Cura

Para ser um condutor das energias curativas da Origem, você deve se preparar para conectar-se com a Origem da maneira mais forte possível.

Existem tantas maneiras de se conectar à Origem quanto há pessoas neste planeta. Sugiro que você crie uma frase (uma afirmação ou uma oração) de sua intenção e que inicie cada sessão de cura com essa frase. Utilizar a mesma frase de abertura para a Origem em todas as vezes aumenta seu poder.

Frase de abertura

Eis algumas orientações para escrever sua frase:

☆ Certifique-se de que você e a Origem (Deus, Jesus, Buda ou qualquer que seja sua escolha) sejam mencionados na mesma sentença.
☆ Afirme sua intenção de curar.
☆ Utilize apenas palavras positivas (*saudável, vitalidade, relaxamento*).
☆ Faça uma frase sobre o bem maior para todos os envolvidos.
☆ Diga-a no tempo PRESENTE.
☆ Memorize-a.

"Que a Origem se manifeste facilmente e de maneira poderosa para criar a saúde nesta pessoa AGORA, pelo bem maior de todos os envolvidos."

Frases principais

Criar uma frase principal faz que você volte ao momento e ao objetivo original da cura.

A frase principal que sugiro é: "De maneira gentil, fácil e rápida".

Frases energéticas

Existem outras frases que facilitarão a cura; conforme praticar as técnicas de cura, as palavras chegarão a você no momento correto e com a energia certa. Alguns exemplos incluem:

☆ Sou um condutor da Origem.
☆ A maior qualidade da energia curativa passa por mim.
☆ A luz mais clara passa por mim.
☆ Estou conectado à Origem.
☆ Uma abundância de energia curativa está sendo utilizada.
☆ A saúde é nosso direito Divino.
☆ Entrego a Deus.
☆ A energia segue o pensamento.
☆ Você é um com a Origem.
☆ O livre-arbítrio nos dá acesso a todas as escolhas da vida.
☆ Um fluxo direto está disponível.
☆ Receba, perceba novamente e solucione.
☆ Os milagres são um direito nato.
☆ Somos um com a Origem.
☆ Somos totalmente responsáveis por nossa realidade.
☆ Criamos nossa realidade.
☆ O propósito do desafio é nos manter dentro de nosso objetivo.
☆ Sou um com a Origem.
☆ Existe uma abundância de energias curativas presente.

> *As frases que você cria servem de lembretes para manter a cura em primeiro plano. Ao usar as frases, elas evitam que você fique preso às questões do curado, lembrando que sua função é abrir espaço suficiente para que a cura aconteça.*

Capítulo 9

Finalizando a Sessão de Cura

A finalização de uma cura é simples e direta quando se presta bastante atenção ao que acontece com o curado. A finalização é o reconhecimento de que o curado não pode lidar com mais energias, ou de que a energia da Origem já fez o que podia em uma sessão.

Sabendo quando parar

O curandeiro deve estar totalmente no PRESENTE e firmemente conectado à terra para perceber quando é o momento de parar de direcionar a energia da Origem para o curado. Sua percepção de saber onde o curado está em seu processo aumenta com a experiência. Se você não tem experiência, precisará prestar mais atenção conforme a cura continua para poder reconhecer quando a sessão de cura estiver completa.

Às vezes, quando os curandeiros ficam fora do caminho para permitir que a Origem entre, eles deixam seus corpos e não ficam conectados à terra o suficiente para sentir o momento em que o curado recebeu toda a energia que deveria. Eventualmente, o curandeiro pode não prestar muita atenção à onda e confundir uma baixa com a conclusão do curado.

Existem alguns sinais de que o curado lidou com o máximo de energia que podia:

☆ Os olhos do curado estão vermelhos.
☆ Há uma respiração diferente no curado.
☆ A energia da Origem parou de ser transmitida ao curado.
☆ A parte de baixo dos pés do curado está muito quente.
☆ O curandeiro fica tonto.
☆ Existem gotas de suor no lábio superior do curado.
☆ Surgem urticárias no curado.
☆ Qualquer sangramento, desmaio ou urina acidental acontece com o curado.
☆ Tremedeiras intensas no curado.

Encerrando a sessão

Quando a cura está completa, o encerramento é essencial. O encerramento sela a cura na aura para que o curado possa integrar, de maneira mais eficaz, as mudanças que aconteceram durante a sessão. Ele também desconecta o curandeiro e o curado. O encerramento deve ser feito quando nenhuma energia estiver sendo transmitida. Se você transmitir energia durante um encerramento, criará uma continuidade da sessão atual em vez de se desligar das energias do curado e prepará-lo para sair da sessão.

Eis algumas técnicas para o encerramento:

Limpar

1. Limpe a energia a partir do coração, de cima para baixo.

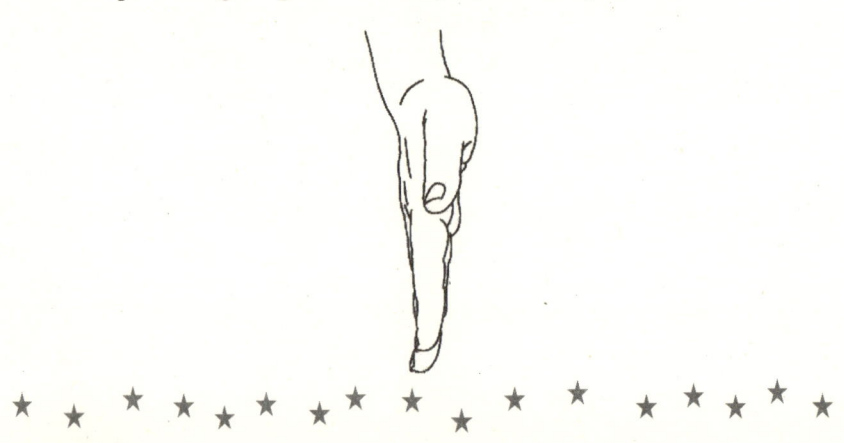

2. Limpe a energia a partir do coração, de baixo para cima.

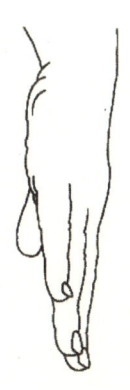

Preencher com uma cor

1. Coloque suas mãos levemente sobre os ombros da pessoa, sem transmitir energia.

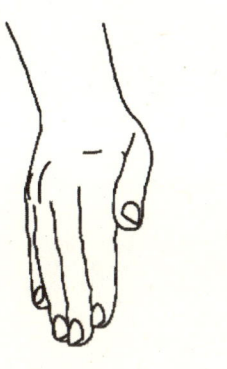

2. Rapidamente, pense em uma das seguintes cores:

☆ Branco — para proteger e selar.
☆ Roxo — para assistência espiritual.
☆ Azul — para revitalização.
☆ Verde — para cura e equilíbrio.
☆ Amarelo — para clareza e intuição.
☆ Laranja — para as energias da co-criação.
☆ Vermelho — para atividade.
☆ Rosa — para a leveza do ser.
☆ Pêssego — para a autoestima.
☆ Perolado — para interação espiritual.

Preencher com uma essência

O objetivo de "preencher" é adicionar uma essência de que o curado precise e leve consigo. É possível preencher com uma essência primária; no entanto, escolha cuidadosamente quando fechará uma pessoa com uma essência. A essência deve estar alinhada com o caminho do curado e não necessariamente com o que ele deseja. Como curandeiro, é sua responsabilidade saber a diferença entre o *querer* e as *necessidades* do curado. Essa diferenciação virá com a experiência.

1. Coloque suas mãos levemente sobre os ombros da pessoa, sem transmitir energia.

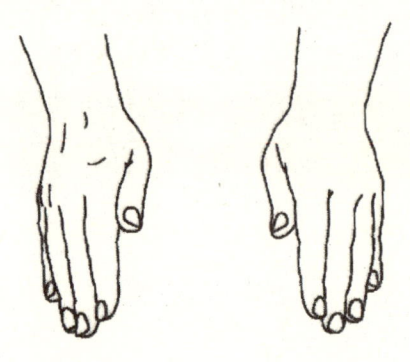

2. Rapidamente pense em uma essência. Algumas das essências primárias são:

☆ Felicidade.
☆ Sabedoria.
☆ Confiança.
☆ Riqueza.
☆ Verdade.

☆ Luz.
☆ Paz.
☆ Valor.

As essências secundárias terminam em *ento*. A regra principal é que as essências primárias são mais abrangentes que as secundárias. As essências primárias são a energia pura, enquanto as secundárias são as essências primárias com um modificador adicionado a elas — isso diminui o poder puro da essência primária. Não é aconselhável preencher com uma essência secundária. Preencher uma pessoa com entendim*ento* limita-a. Preencha-a com *sabedoria*. O preenchimento com riqueza cria uma base poderosa para a riqueza de um curado. Modificar a riqueza para que ela se torne um adjetivo (rico) diminui o poder da essência.

Resumo

Antes da sessão de cura, fazemos quatro perguntas aos nossos clientes. Após a sessão, há perguntas que podemos fazer para ajudar o curado a mudar seus padrões a fim de que ele não continue a criar a doença em sua vida.

Pergunte

☆ Qual foi sua compensação por esta doença?
☆ Por que você criou esta doença?
☆ Com o que você não estava lidando?
☆ Como vai lidar com esta energia agora?

Por favor, note que estas perguntas estão no passado, com exceção da última. Isto é feito para dar ao curado a ciência de que a doença não está no mesmo estado anterior à cura.

Limpando o curandeiro

O objetivo da limpeza é garantir que nenhuma de suas energias se misture com as energias da Origem e com as remanescentes do curado.

Como curandeiro, há muitas coisas que podem ser feitas depois de encerrar a cura, quando o curado for embora. Isto serve para garantir que você não recolha a energia usada do curado, que ressoa com você. Este procedimento garantirá a boa higiene do curandeiro.

São processos simples, como:

☆ Lave suas mãos.
☆ Assoe o nariz.
☆ Vá ao banheiro.

☆ Saia para conectar-se com a terra.
☆ Areje a sala.
☆ Beba um copo de líquido.
☆ Tome um banho de chuveiro ou de banheira.
☆ Troque suas roupas.

Existem muitos exercícios e visualizações usados na limpeza:

☆ Forme uma concha com as mãos abaixo do plexo solar. Em seguida, chamando seu poder superior e a Origem, empurre a energia ao longo da linha do chacra, na direção do topo de sua cabeça, até tocar sua nuca. Quando ficar limpo, você sentirá arrepios ou calafrios. Continue este procedimento até sentir os arrepios ou calafrios.
☆ Imagine um banho de uma luz muito clara vindo da Origem para você. Conforme esse banho lava você, veja uma poça de energias usadas e coloridas a seus pés.
☆ Respire a Origem por meio de sua coroa. Em cada respiração, elimine pelos chacras, uma a uma, todas as energias que não sejam de luz. Comece pelo terceiro olho e vá para baixo. Uma respiração para cada chacra em geral é suficiente. Quanto menos, melhor.
☆ Deixe que seus guias e anjos o limpem. Espere até sentir arrepios antes de começar. Eles farão o que for necessário.
☆ Estale os dedos na frente de todos os seus chacras. Em seguida, começando em seu coração, estale sete vezes para limpar o corpo sutil.
☆ Imagine as notas *dó, ré, mi, fá, sol, lá, si* ressoando para o exterior a partir dos corpos sutis, até que o som vibre para longe todas as energias usadas.

> *Chegar a uma conclusão com o curado e assegurar-se de limpar seu próprio campo são pontos críticos para você e para o curado.*

Parte 2

A Caixa de Ferramentas do Curandeiro

A Caixa de Ferramentas do Curandeiro

Introdução

Na Parte 1 deste livro você aprendeu sobre os diversos aspectos básicos de ser um curandeiro e obteve um entendimento sobre os Elementos importantes que trabalham durante cada sessão de cura. Cada vez que adiciona algo à sua caixa de ferramentas, seja a ferramenta usada ou não, o curandeiro ganha mais conhecimento sobre como trabalhar com a energia, bem como sobre vários processos de cura. Ao trabalhar com a energia de uma maneira nova ou diferente, isso se soma ao seu entendimento do processo de cura; também se soma ao seu conhecimento de como funciona a Origem.

Você não utilizará todas as técnicas de *A Cura pela Energia*; no entanto, recomendo que experimente cada uma pelo menos três vezes diferentes em três tipos de curados, para que possa apreender a essência da técnica.

Processos de cura

O processo geral da cura pode ser simples e fácil, ou complexo e complicado; ele depende da atitude do curado e das habilidades do curandeiro. Conhecer a composição do processo é compreender a causa da doença e sua capacidade de responder a essa causa.

O processo básico de cura é ser um condutor da Origem para o curado. A cura pode demorar um longo período, mesmo quando o curandeiro está conectado à Origem com uma forte intenção de curar. A velocidade da cura depende da atitude do curado e de sua vontade de superar as "coisas". A qualidade da cura depende da capacidade do curandeiro de permanecer no tempo PRESENTE e de manter a conexão com a Origem.

Assim, como em qualquer técnica de cura, a disposição das mãos pode ser melhorada se o curandeiro e o curado forem informados. Algumas informações de que o curandeiro necessita estão disponibilizadas neste manual. O curado também precisa ser informado à medida que a cura progride, bem como antes e depois dela.

Encorajando o curado

Uma das coisas mais valiosas que um curandeiro pode fazer é encorajar o curado a se responsabilizar por sua própria cura. Não é tarefa do curandeiro trabalhar duro no processo de cura, mas sim do curado. Se isso estiver acontecendo, aconselho-o a parar e explicar ao curado que você está trabalhando mais que ele; e, se ele deseja que a cura continue, deve colocar mais energia no processo.

Incentive seu curado a respirar profundamente. Quando a energia está prestes a mudar, o curado pode segurar a respiração ou engolir. Este é o padrão que deve haver no curado. Gentilmente, diga para ele utilizar a respiração para expulsar a energia "usada".

No entanto, a importância da respiração não pode ser enfatizada.

Quando os curados estiverem quietos demais, peça que eles chacoalhem as mãos ou movimentem os pés para que a energia possa mudar e iniciar o processo de se movimentar para fora. Você pode fazer perguntas aos curados quietos e dizer aos faladores para usar a energia para curar em vez de conversar.

A Origem é quem decide

Todos os processos que você utilizar assumirão uma vida própria. Assim, como uma mãe alimenta seu bebê, você precisa observar e cuidar do curado, para que ele se torne mais experiente no processo de cura. No início de uma sessão, cada movimento tem um significado, portanto, *não feche os olhos*. A Origem pode fluir facilmente através de você se seus olhos estiverem abertos. Os movimentos do curado lhe dão dicas, juntamente com a oportunidade de observar como ele absorve a energia em seu corpo e como este utiliza ou resiste às energias. É o ponto em que a mente subconsciente receberá as informações para determinar qual técnica deverá ser utilizada. Você não decide *antes* de colocar a pessoa na mesa que utilizará uma determinada técnica. A técnica será conhecida quando o fluxo de energia da Origem decidir.

Às vezes, você será levado a fazer coisas que podem não parecer normais ou que parecem muito estranhas. Fique no PRESENTE e faça as coisas sem questionar. Às vezes, a Origem alterará uma técnica ou um processo para obter um uso mais eficiente da energia que flui através de você. Ouça.

Utilize todos os seus sentidos, os básicos e os leves. Às vezes, a sala ou o curado poderão parecer muito pesados ou frios. Você pode sentir cheiros conforme as energias deixam o corpo físico do curado. No canto de seus olhos, você perceberá movimentos à medida que as energias flutuam ou saem do curado. Não se deixe levar pelos fenômenos; fique no PRESENTE e continue a ser um condutor para a Origem. Nos casos em que há uma grande quantidade de energia removida, quadros podem cair das paredes ou você poderá ouvir barulhos altos. Quando isto acontecer, *não* tire suas mãos do curado. As coisas alheias podem esperar para receber atenção depois que a sessão terminar.

Sinta o fluxo de energia através do curado. Siga a onda e suporte a si mesmo. Você é quem muda as frequências de rádio, enquanto a Origem é a eletricidade.

A importância da energia correta

Há momentos em que o curado é muito sério e o processo de cura parece pesado. Entre na energia curativa de seu coração. O poder do amor para tornar uma situação mais leve é incrível. Note se seu rosto está sério e sorria, para transmitir à energia a qualidade da leveza. Sinta a conexão que a cura lhe traz com todos os humanos.

Revisão da sessão

Após a cura, pode ser benéfico rever os pensamentos que estavam em sua cabeça. Às vezes, esses pensamentos, que parecem aleatórios, vêm diretamente da Origem e podem somar-se ao seu conhecimento geral da cura. Os pensamentos também podem servir de critério para saber o que o curado precisará trabalhar na próxima vez.

O mais lentamente que puder, revise seus movimentos e a maneira como a energia passou pela sua mente. Como a Origem passa pelo curado, as técnicas serão fornecidas conforme necessário. Se você se encontrar fazendo coisas repetidas vezes, note o que elas são.

★ ★ ★ ★ ★ ★ ★ ★ ★ ★ ★ ★ ★ ★ ★

Esses movimentos podem variar um pouco de curado para curado, pois cada um tem um fluxo. Sente-se e documente a sequência e a circunstância do curado. Mais tarde, você poderá encontrar técnicas similares para materiais diferentes colocados em seu caminho.

Na Parte 1, você leu sobre os principais conceitos de uma sessão de cura. Utilize esta lista para refrescar sua memória:

☆ Como curandeiro, você é um condutor das energias curativas da Origem.
☆ Manter uma conexão clara com a Origem é essencial.
☆ Mantenha seu ego fora do caminho.
☆ A Origem e o curado são os que fazem o trabalho.
☆ Respeite o livre-arbítrio.
☆ Obtenha permissão.
☆ Abandone os julgamentos.
☆ Identifique o tipo de curado com quem está trabalhando.
☆ Faça perguntas e diferencie a verdade.
☆ Peça que a Origem faça a cura de maneira gentil, rápida e fácil.
☆ Nem sempre você será capaz de dar ao curado o que ele quer; às vezes, você lhe dará o que ele precisa.
☆ Fique centrado no campo da cura, conectado à terra, utilizando sua respiração.
☆ Identifique qual sentido leve está utilizando.
☆ Utilize sua compreensão dos quatro Elementos.
☆ Use suas frases.
☆ Reconheça o momento da conclusão.
☆ Encerre e limpe.
☆ Após a sessão, revise e tome notas.

A cura em conjunto

Lembre-se: à medida que cura outras pessoas, você também está sendo curado. Faça uma autoverificação e perceba onde ocorreram mudanças. Cada curado é levado a você porque você tem algo similar para curar em si mesmo. Você, como curandeiro, lidou com o que o curado está passando e terá de lidar com um pouco mais nesse aspecto vibratório específico.

O processo de cura é um dos maiores atos espirituais que os humanos podem fazer em conjunto; cada cura é íntegra e completa em sua essência. Qualquer julgamento que você possa ter sobre a cura é uma indicação de que ainda há mais para aprender sobre a cura e sobre si mesmo. Qualquer coisa que você diga ou julgue sobre o curado é algo que você precisa, pessoalmente, ouvir e trabalhar em um grau menor do que o curado. Observe seus pensamentos e palavras. Aprenda consigo mesmo e com os outros.

★ ★ ★ ★ ★ ★ ★ ★ ★ ★ ★ ★ ★ ★ ★ ★ ★

Ser realmente completo é ser único com a Origem, com o curado e consigo mesmo. Isso significa pedir que cada ação, pensamento e energia da sessão de cura seja para o bem maior de todos os envolvidos. Tudo fica mais fácil quando você gosta de fazer algo. Goste de ser um curandeiro. O tempo passa rapidamente quando você ama o que faz. Use seu tempo e sua energia de maneira sábia.

> *Acima de tudo, coloque seus princípios em prática!*

A Caixa de Ferramentas do Curandeiro

Exercícios

Os exercícios a seguir são úteis para o desenvolvimento de suas habilidades, de sua base e de sua sensibilidade como curandeiro. Também são maneiras muito eficazes de sintonizar e conectar as energias para o curado. Lembre-se: como curandeiro, você é um condutor da Origem. A verdadeira cura acontece entre a Origem e o curado. Quanto mais você conseguir sintonizar as energias do curado e, ao mesmo tempo, conectar-se à Origem, à terra e ao seu ser interior, mais poderosas e eficazes serão as energias curativas. Algumas dessas coisas, depois de um pouco de prática, serão feitas automaticamente durante uma cura, sem a necessidade de pensar ou julgar o que você está fazendo. Cada pessoa e cada experiência que você tem como curandeiro somam-se à sua caixa de ferramentas pessoal de cura.

Em qualquer cura que faça, recomenda-se que, primeiro, você se limpe, faça a conexão com a terra e conecte-se. Para limpar-se, você pode optar por utilizar qualquer um dos exercícios listados neste livro. O mesmo se aplica para a conexão com a terra. Utilize qualquer uma das técnicas de conexão com a terra apresentadas neste livro ou utilize uma técnica preferida que tenha aprendido em outro lugar.

Depois de se limpar e se conectar com a terra, existem mais três conexões que devem ser feitas antes do início da sessão:

1. Com a Origem.
2. Com seu próprio ser interior.
3. Com o curado.

Para conectar-se com a Origem, por favor, consulte uma das técnicas listadas neste livro ou escolha uma técnica preferida que não seja mencionada aqui. Para conectar-se ao seu próprio ser interior, simplesmente volte sua atenção para o espaço que há dentro de você, atrás do seu chacra do coração. Veja, sinta ou ouça a si mesmo neste espaço e apenas verifique onde você está neste momento. Conectar-se ao curado é muito rápido e fácil, uma vez que você tenha concluído os outros passos. Tudo o que precisa fazer é dizer algumas palavras de boas-vindas para o curado, tocá-lo e deixar que ele saiba que você iniciará a sessão agora.

Conhecendo as mãos

1. Limpe, conecte-se à terra e faça a conexão.
2. Estenda as mãos e toque o curado para onde suas mãos forem levadas.

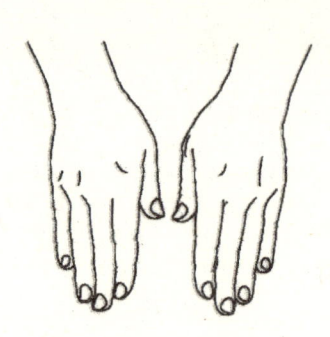

3. Desconecte suas mãos de si mesmo.
4. Permita que suas mãos se movimentem como quiserem.

O toque da terra

1. Limpe, conecte-se à terra e faça a conexão.
2. Imagine que suas mãos são as mais quentes da terra.
3. Conscientize as mãos.

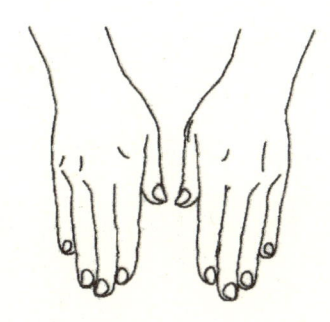

4. Imagine que suas mãos são as mais frias da terra.
5. Conscientize as mãos.
6. Alterne até sentir a conclusão.

Torneiras

1. Limpe, conecte-se à terra e faça a conexão.
2. Imagine que suas mãos são torneiras.

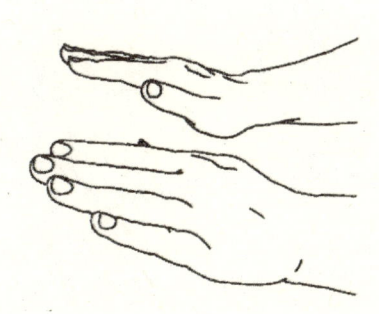

3. Imagine que sai água quente de suas mãos.
4. Conscientize as mãos.
5. Imagine que sai água fria de suas mãos.
6. Conscientize as mãos.
7. Alterne entre frio e quente até sentir a conclusão.

Quente e frio

1. Limpe, conecte-se à terra e faça a conexão.
2. Conscientize as mãos.

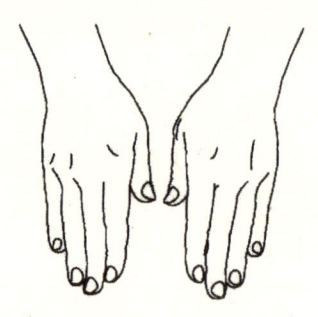

3. Sinta a energia do curado.
4. Onde a energia for quente, envie energia fria através de suas mãos.
5. Onde a energia for fria, envie energia quente através de suas mãos.

Rede

1. Limpe, conecte-se à terra e faça a conexão.
2. Imagine uma rede entre suas mãos.

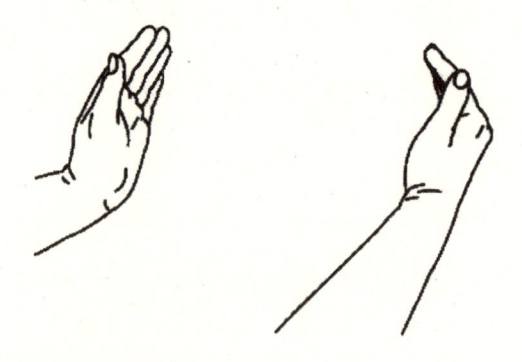

3. O espaço entre as fibras da rede é microscópico.
4. Imagine que a rede está conectada aos chacras de sua mão.
5. Essa rede é feita da mais poderosa luz curativa.
6. Coloque a rede sobre as áreas intoxicadas do corpo e envie energia, chacoalhando as mãos para remover a rede.
7. Utilize redes com luzes de cores diferentes conforme necessário. Se você sentir que uma luz colorida é necessária, empregue-a.

Empurrar-puxar

Sempre que há excesso de energia no corpo do curado ou em qualquer um de seus corpos sutis, esta técnica é muito benéfica. Ela também é benéfica para notar e preencher as áreas onde o curado necessita de mais energia.

1. Limpe, conecte-se à terra e faça a conexão.
2. Conscientize as mãos.

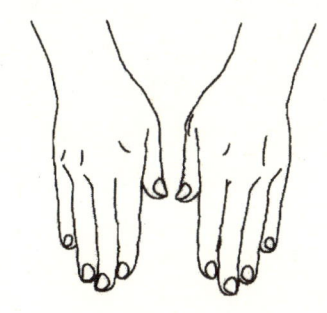

3. Sinta as áreas onde a energia está sendo puxada ou empurrada pelo curado.
4. Quando a energia empurrar, puxe.

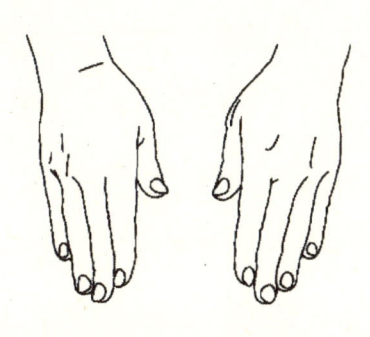

5. Quando a energia puxar, empurre.

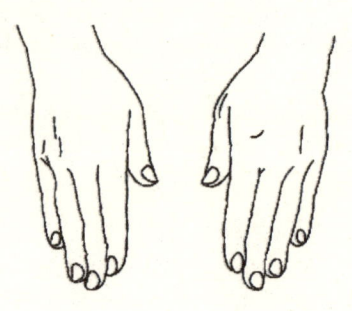

Esponja

1. Limpe, conecte-se à terra e faça a conexão.
2. Imagine que sua mão não-dominante seja uma esponja.

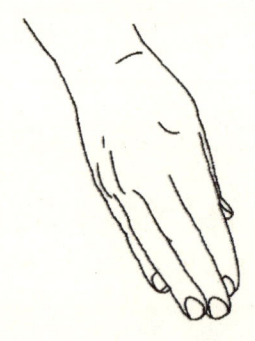

3. Sempre que houver toxinas presentes, sintonize.
4. Imagine que as toxinas estão magnetizadas na esponja.
5. Quando a esponja ficar pesada, entregue à Origem.

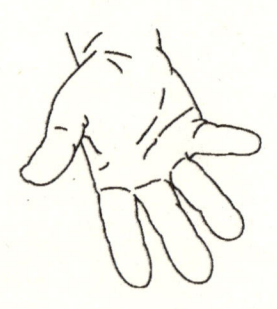

6. Crie uma nova esponja em sua mão e continue os passos até que todas as toxinas prontas para saírem tenham sido eliminadas.

Vácuo

1. Limpe, conecte-se à terra e faça a conexão.
2. Conscientize a mão (dominante).
3. Imagine que essa mão é um vácuo.

4. Sugue a energia usada.
5. Elimine a energia pela mão dominante.

6. Livre-se adequadamente da energia usada.
7. Preencha os vazios com luz.

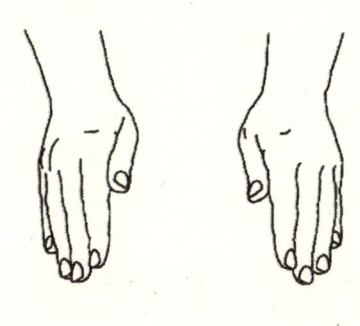

Velcro

1. Limpe, conecte-se à terra e faça a conexão.
2. Em ambas as mãos, crie uma carga magnética vital.
3. Com a intenção, deixe que a carga magnética atraia a energia.

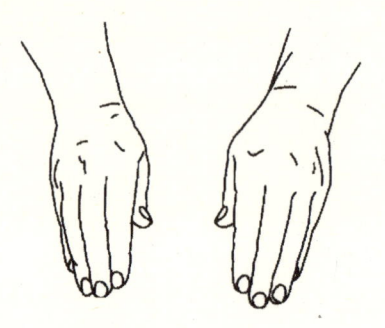

4. Isto funciona como um Velcro.
5. Quando estiver grudento, livre-se adequadamente do Velcro.

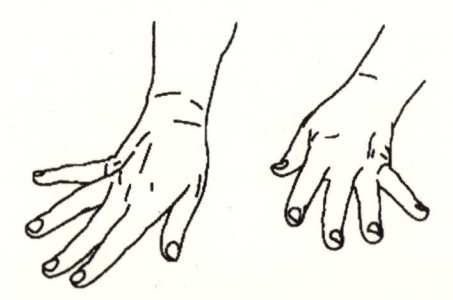

6. Crie mais Velcro e continue até sentir a conclusão.

Túneis de vento

1. Limpe, conecte-se à terra e faça a conexão.
2. Imagine que suas mãos são túneis de vento.

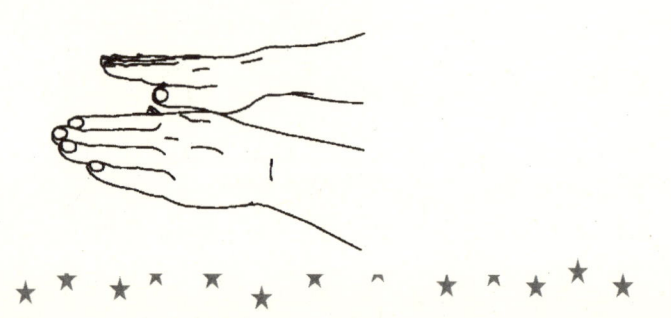

3. Imagine um ar quente e forte vindo de suas mãos.
4. Conscientize as mãos.

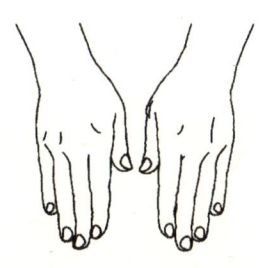

5. Imagine um ar frio e forte vindo de suas mãos.
6. Conscientize as mãos.
7. Alterne entre ar frio e quente conforme necessário.

A Caixa de Ferramentas do Curandeiro

Técnicas de Respiração

Durante uma sessão, o ar que um curandeiro expira está cheio de energias usadas do curado. Às vezes, é sábio utilizar técnicas de respiração para livrar o curado de sua energia usada. Durante uma sessão, quando existe uma grande quantidade de energia não-vitalizada, eliminada pelo curado, você pode utilizar sua respiração para eliminar as energias não-vitalizadas do campo de cura.

Respiração de cachorrinho

Use a respiração de cachorrinho enquanto as energias não-vitalizadas do curado são formadas em pedaços pequenos e quebrados. Esta técnica fornece à energia um bocado mais fracionado e pequeno, que pode ser eliminado facilmente.

1. Limpe, conecte-se à terra e faça a conexão.
2. Conscientize as mãos.

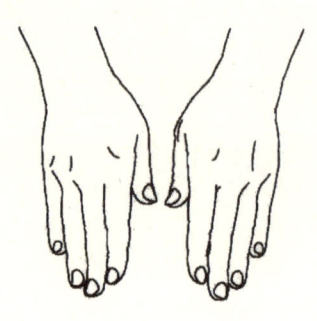

3. Ambas as mãos no corpo, com a mão não-dominante no "local".
4. Preencha com a essência primária adequada, utilizando sua mão dominante.
5. Traga a energia para seus pulmões com sua mão não-dominante.

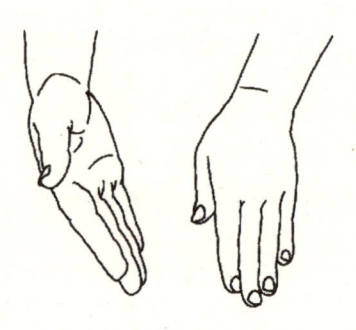

6. Abra a boca e ofegue como um cão.

Respiração do fogo

Utilize a respiração do fogo em curados que parecem muito pálidos e que se mantêm firmes em um padrão. Os curados que reclamam de frio e aqueles que ficam muito parados irão beneficiar-se, e muito, da utilização da respiração do fogo. Tenha água disponível para você e para seu curado, pois a respiração do fogo desidratará os dois.

Note que a utilização da respiração do fogo nos curados que têm o rosto vermelho, com abundância de calor corpóreo ou pressão sanguínea alta, NÃO é recomendada.

1. Limpe, conecte-se à terra e faça a conexão.
2. Conscientize as mãos.

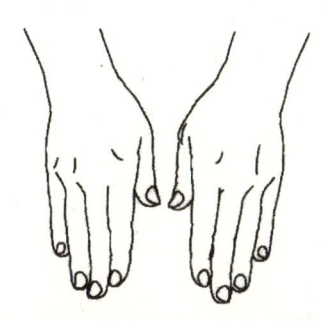

3. Coloque sua mão dominante no "local".

4. Mantenha a mão não-dominante fora do curado.
5. Coloque a ponta da língua levemente acima de seus dentes superiores.
6. Sinta o calor.
7. Inspire e expire o calor.
8. Dirija o calor para baixo e para fora de sua mão dominante, na direção do curado.
   Aviso: Use com atenção e cuidado.

Respiração do poder

A respiração do poder é uma técnica benéfica quando existe abundância de energia não-vitalizada a ser removida do curado, *e* ela não vem em pedaços.

1. Limpe, conecte-se à terra e faça a conexão.
2. Conscientize as mãos.

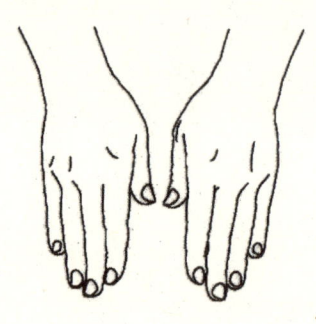

3. Coloque as duas mãos sobre o corpo do curado, com a mão não-dominante no "local".
4. Preencha o local com a energia da mão dominante.
5. Puxe a energia não-vitalizada para seus pulmões com a mão não-dominante.

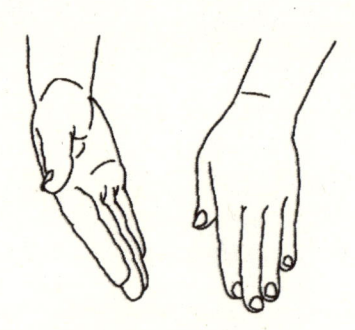

6. Franza os lábios e, com a respiração concentrada, elimine as energias não-vitalizadas do curado.
7. Repita até que o "local" esteja limpo.

★ ★ ★ ★ ★ ★ ★ ★ ★ ★ ★ ★ ★ ★ ★ ★ ★ ★ ★ ★

Respiração da água

A respiração da água deve ser utilizada com o curado que necessite ter controle. Os curados que falam muito durante a sessão se beneficiarão da respiração da água. Às vezes, ela funciona bem com os resistentes e, outras, soma-se à sua resistência. Com a prática, você será capaz de identificar os curados que se beneficiarão desta técnica.

Note que o uso da respiração da água em um alcoólatra, em um hemofílico ou em um curado que tenha uma infecção, problemas na bexiga ou problemas urinários, NÃO é recomendado.

1. Limpe, conecte-se à terra e faça a conexão.
2. Conscientize as mãos.

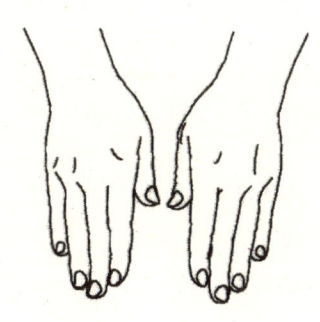

3. Coloque a mão dominante sobre o "local".

4. Mantenha a mão não-dominante fora do curado.
5. Coloque sua língua no céu da boca.
6. Sinta a água.

7. Inspire e expire a energia da água.
8. Direcione a energia da água para baixo, a partir de sua mão, para o local do curado.
9. Repita até que o curado pare de falar e relaxe para a cura.

Utilize muita água para eliminar quaisquer resistências.

A Caixa de Ferramentas do Curandeiro

Técnicas Gerais

O objetivo destas técnicas gerais é controlar o tipo de energia que flui para o curado. As técnicas irão sintonizar, suavizar e alterar a energia para que as diferentes partes do corpo a recebam em formas apropriadas para aumentar o nível de vitalidade.

As técnicas que abordaremos variam de simples a complexas trocas de energia entre várias pessoas.

Círculo africano de cura

O círculo africano de cura é usado para remover as formas-pensamento do corpo.

1. Inicie criando um círculo imaginário de aproximadamente 30 centímetros de diâmetro acima da área horizontal com a forma de pensamento, utilizando as duas mãos para formar o círculo.

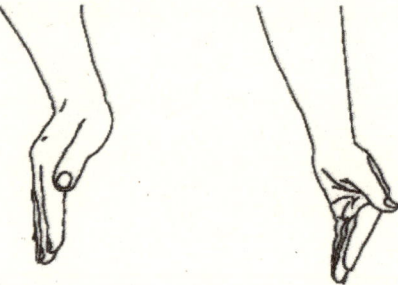

2. Com as mãos, uma de frente para a outra, gentilmente comece a diminuir o círculo com a energia e com os movimentos das mãos até que ele fique menor.

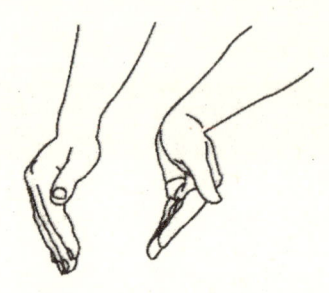

3. Certifique-se de que suas mãos toquem e comprimam a forma de pensamento, compactando-a cada vez mais e gradualmente a diminuindo até que suas mãos toquem o corpo do curado.

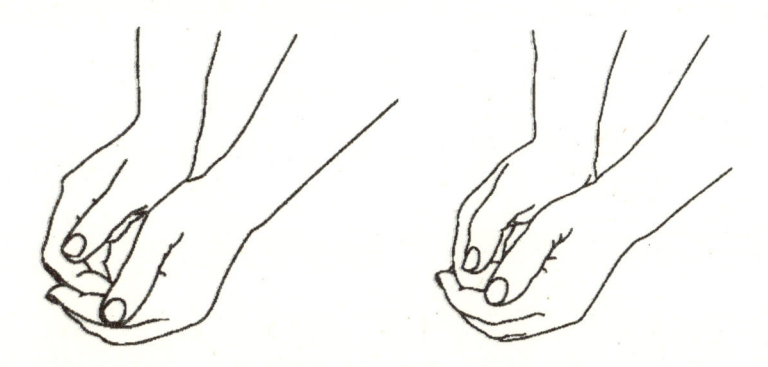

4. Agora, comece a usar a pressão física, comprimindo as mãos uma contra a outra e ainda utilizando a energia para compactar a forma-pensamento.

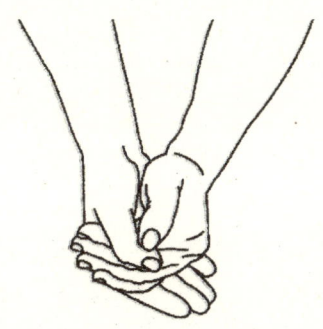

5. Continue compactando até que uma de suas mãos circule a outra.

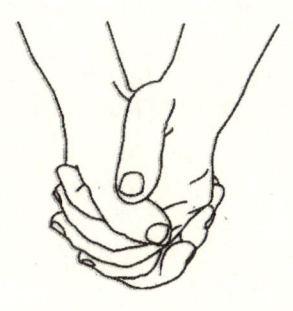

★ ★

6. Quando sentir que está segurando firmemente a forma-pensamento, puxe-a rapidamente para cima e bata as palmas das mãos para enviá-la para a Origem.

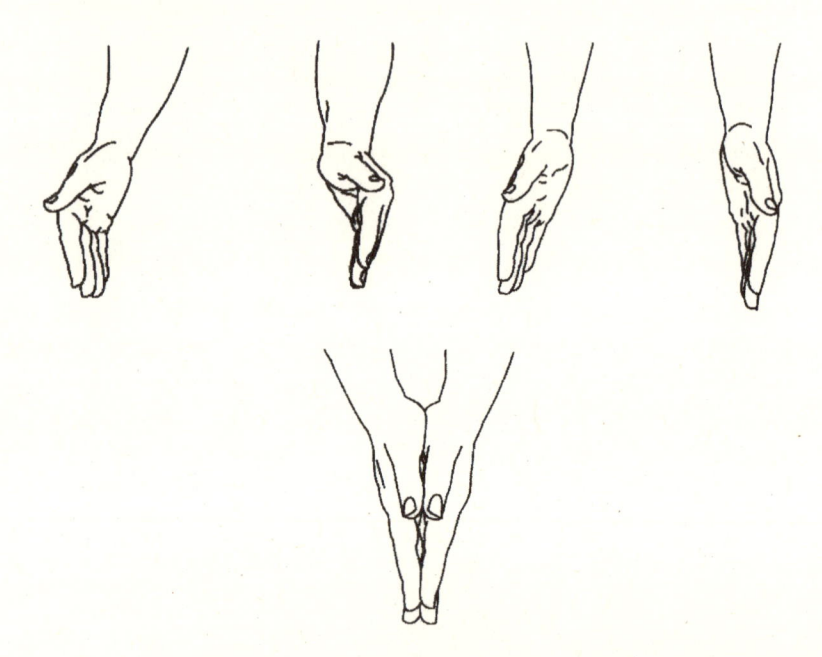

Técnicas de equilíbrio dos chacras

O chacra é um receptor e um vórtice, que recebe, percebe e filtra energias suas e do mundo ao seu redor. Quando você, consciente ou subconscientemente, opta por lidar, ou não, com as energias, escolhe também se seus chacras serão saudáveis ou vitais, com mau funcionamento, ou se serão desligados. Existem seis técnicas de equilíbrio de chacras abordadas neste livro.

Equilíbrio do elemento

O equilíbrio do elemento atrai os Elementos para os chacras, portanto você pode preencher o chacra com o Elemento que está faltando. Esse Elemento será o que o chacra precisa mais. Os Elementos fornecem ferramentas diferentes para os chacras e para os corpos sutis usarem durante o processo de cura.

1. Cada um dos dedos a seguir corresponde a um Elemento:

Polegar: Terra

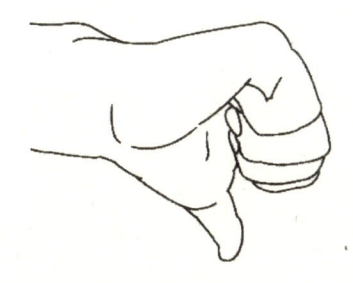

Indicador: Água

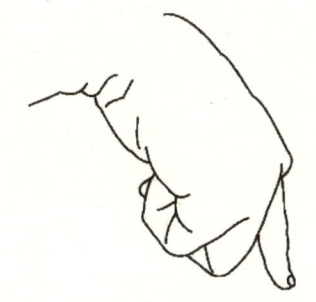

Médio: Fogo

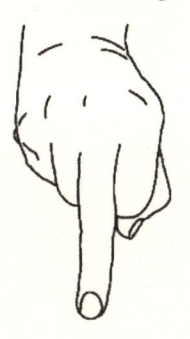

Anelar: Ar

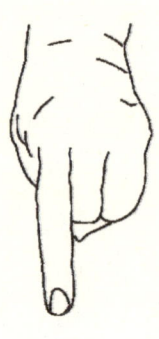

2. Aproximadamente sete centímetros acima do chacra, começando pela coroa, teste a energia com todos os quatro dedos. Um de seus dedos responderá com uma energia diferente. Preencha esse chacra com o Elemento, atraindo-o com a intenção, enquanto aponta o dedo para o chacra.
3. Quando chegar ao chacra da raiz, pare e se limpe; em seguida, inicie o mesmo processo, testando com os dedos e subindo até a coroa. Mantenha uma distância de sete centímetros do chacra.
4. A quantidade de tempo que você passa preenchendo cada chacra irá variar e, quando prestar atenção, saberá quando parar. O tempo médio para uma pessoa que não está em condições crônicas é aproximadamente seis minutos. O tempo para um doente crônico varia e pode demorar até 24 minutos, quando feito corretamente.

Movimento longo

Este é o equilíbrio de chacra que demanda mais tempo. Utilize esta técnica quando quiser obter uma limpeza e um equilíbrio profundos e diretos do chacra.

1. Comece segurando os pés.

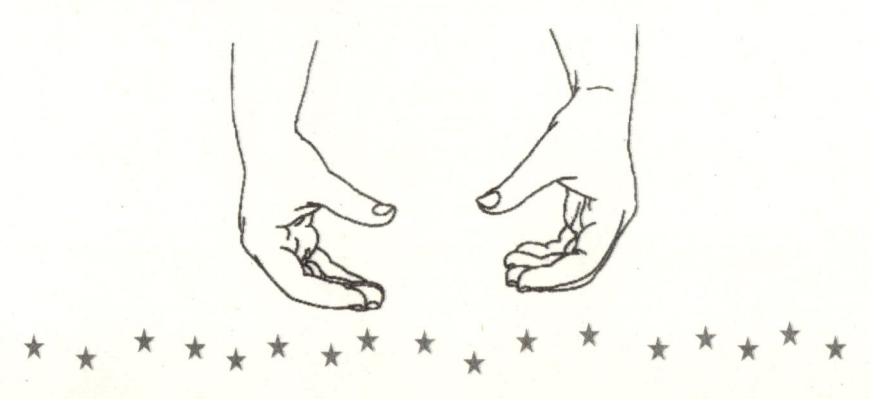

2. Concentre-se no chacra da raiz e imagine os corpos sutis acima dele. Inicie pela parte de cima do corpo e procure por manchas de gordura, buracos, partes ásperas e lágrimas. Faça isso lentamente. Peça que a alma e o ser superior do curado usem a Origem que vem de você para consertar, reparar, limpar e endireitar esta parte da camada. Quando o corpo sutil parecer forte e composto, verifique novamente e passe para o próximo nível abaixo, cobrindo todas as sete camadas.
3. Reposicionando seu corpo, movimente-se no sentido horário e repita quando estiver posicionado no lado direito do curado, com suas mãos no corpo dele.

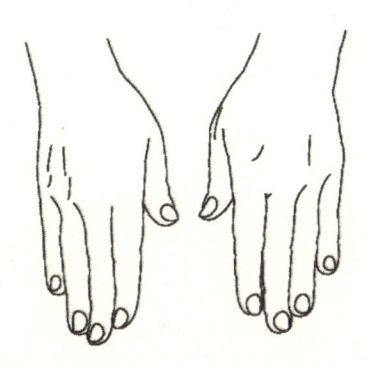

4. Repita na coroa.

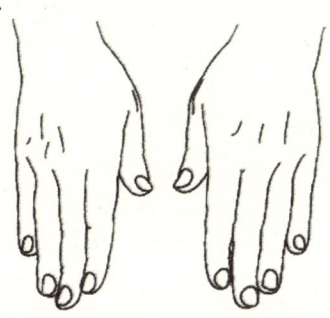

5. Repita no lado esquerdo.

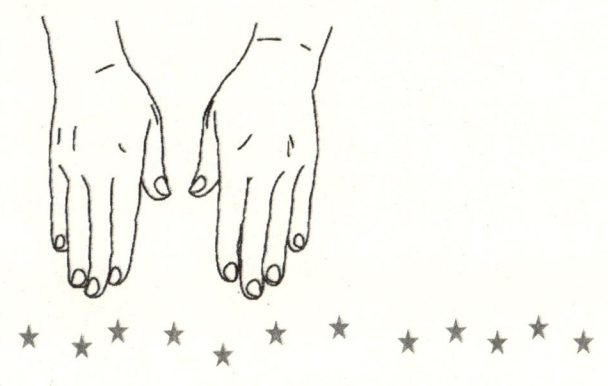

★ ★ ★ ★ ★ ★ ★ ★ ★ ★ ★ ★ ★ ★ ★ ★ ★

6. Cada vez, toque o curado com ambas as mãos e trabalhe com a Origem para limpar e reparar a camada do campo da aura no qual você está trabalhando.
7. Quando voltar aos pés do curado, poderá iniciar o restante do equilíbrio. Segurando os pés, puxe a Origem diretamente para o curado; comece pelo chacra da coroa, puxando a energia através do chacra da raiz.
Aviso: Como esta energia vem diretamente da Origem para o curado, ela não deve passar por você.

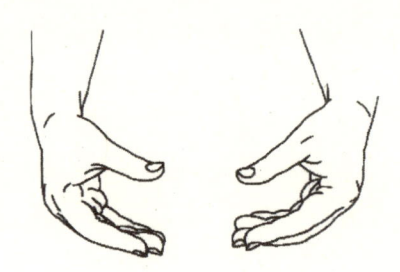

8. Peça que o ser superior controle esta parte do processo e use você para iniciar e encerrar. Esta é a parte do exercício na qual você não tocará o curado. Você guiará o ser superior dizendo "agora" quando o chacra estiver preenchido de luz.

Estalo rápido

1. Este é um equilíbrio de chacra rápido e fácil, que pode ser utilizado sempre que você quiser limpar as energias não-vitalizantes presentes nos chacras.
2. Feche a mão com o polegar tocando o dedo médio.
3. Relaxe o punho para que haja uma pequena abertura na mão. Deixe a abertura pequena o suficiente para que o ar flua por ela, porém não grande o suficiente para que se possa ver muita coisa.
4. Você fará esta técnica iniciando pelo chacra da raiz e movimentando-se para cima, estalando cada chacra e finalizando com a coroa.
5. Para o chacra do pé, o punho deve ficar perpendicular ao chão e entre as pernas, o mais próximo possível da raiz, sem ser invadido pelas coxas. Componha uma concha com a outra mão e faça que o ar passe três vezes pela abertura do punho. Na quarta passagem, você estalará suave, porém gentilmente, o topo de seu punho fechado. Isso deve fazer um barulho.

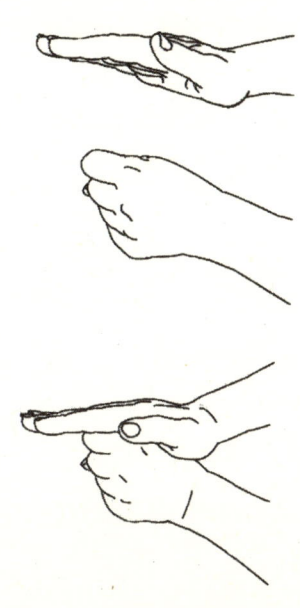

6. Os chacras 2, 3, 4, 5 e 6 são trabalhados de forma perpendicular. Inicie na coroa ou na raiz e passe para os chacras seguintes.

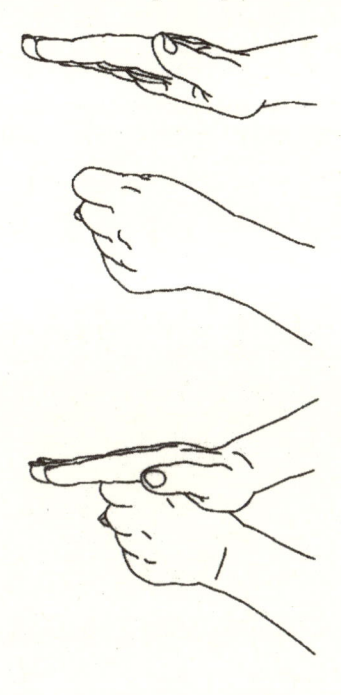

7. O chacra da coroa é trabalhado de forma perpendicular ao topo da cabeça.

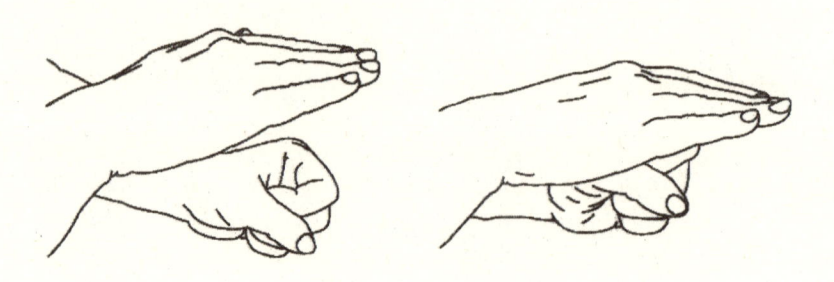

8. Esse equilíbrio de chacras prende os corpos etéreos ao chacra, soltando sua sujeira para facilitar a saída da área do chacra.

Supercarga

A supercarga deve ser utilizada em curados que sofrem com estresse ou exaustão física. Ela *não* deve ser usada em pessoas doentes ou curandeiros.

1. Mantenha sua mão direita à frente do chacra do coração e a esquerda, em forma de concha, com a parte de trás tocando a parte de trás de sua mão direita (as costas das mãos se tocando).

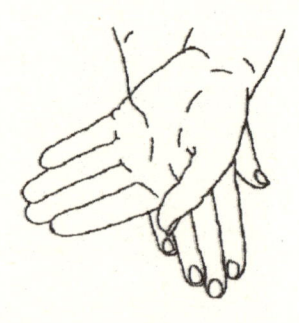

2. Comece puxando a cor do chacra do coração (verde) lentamente e aumente de forma gradual a velocidade da puxada para que ela esteja na velocidade da luz quando terminar.

3. Quanto mais próxima do chacra estiver a mão direita, mais poder terá a luz. Observe a energia atentamente e comece a puxar com as mãos longe do corpo para não haver uma sobrecarga e criar um desequilíbrio.
4. Equilibre o coração primeiro e, em seguida, escolha se vai subir ou descer para o próximo chacra. Vá para cima se a pessoa estiver muito conectada à terra ou séria demais; em seguida, quando terminar a coroa, vá para o plexo solar e baixe para o próximo chacra, repetindo os passos anteriores e utilizando as cores apropriadas para cada chacra. Se a pessoa opera a partir da mente, comece pelo coração e desça, chegando à garganta e subindo depois até a raiz.

Três respirações

1. Este é um exercício simples para ser realizado com o curado. Faça que o curado inspire com a Origem e expire pelo chacra.
2. Faça isso três vezes para cada chacra. Combine sua respiração com a do curado, para que ambos inspirem luz e expirem a energia usada.
3. Não toque o curado, mas fique o mais próximo possível de sua aura.

Equilíbrio triangular

O equilíbrio triangular é um ótimo equilíbrio geral dos chacras. É mais direto que o estalo rápido e menos direto que o movimento longo.

1. Para cada chacra, deve-se visualizar um triângulo com sua cor correspondente. Para os chacras baseados na Terra, coloque suas mãos no corpo do curado, a uma distância de aproximadamente 30 centímetros do chacra e, em sua mente, forme o triângulo para que o chacra fique no centro.
2. Para os chacras do espírito, coloque as mãos no corpo do curado, a uma distância de aproximadamente 30 centímetros, situando-as de modo que o chacra fique no meio do triângulo.
3. Comece pela raiz e vá subindo, permanecendo em cada chacra até sentir que esteja completo.

Primeiro: Raiz — vermelho, base na terra

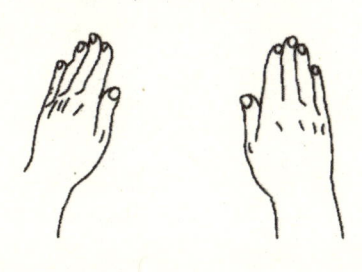

Segundo: Sacral — laranja, base no espírito

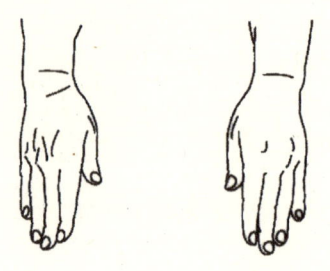

Terceiro: Plexo solar — amarelo, base na terra

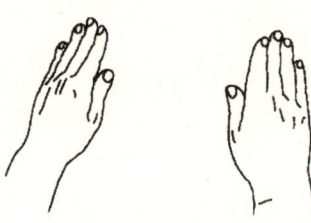

Quarto: Coração — verde, base no espírito *e* base na terra

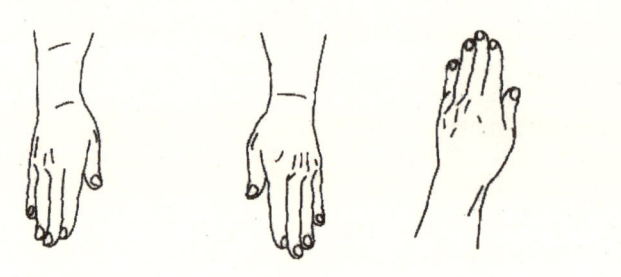

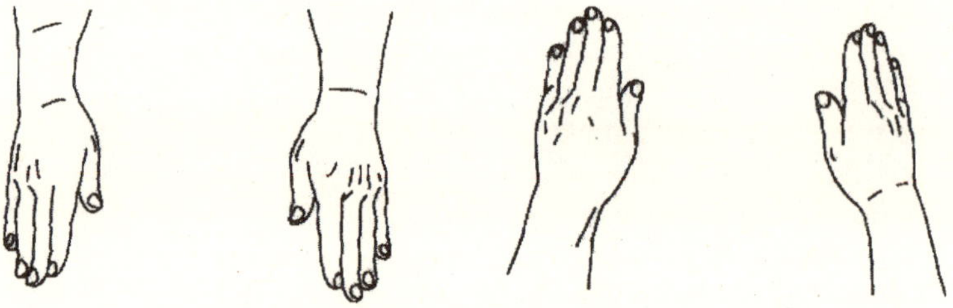

Quinto: Garganta — azul, base no espírito

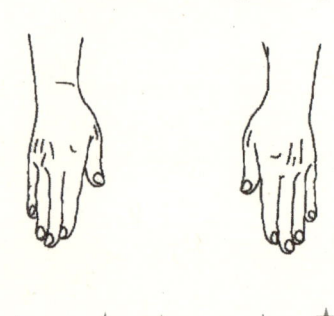

Sexto: Terceiro olho — roxo, base na terra

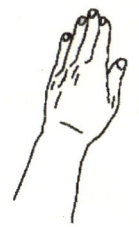

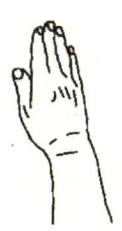

Sétimo: Coroa — branco, base no espírito

Chi Qong

O Chi Qong alivia rapidamente as energias de pressão e a dor. Utilize-o a qualquer momento, em qualquer lugar. É simples e fácil.

1. Deixe as duas mãos em forma de concha, certificando-se de que o polegar fique ao lado da mão e descanse sobre o dedo indicador.

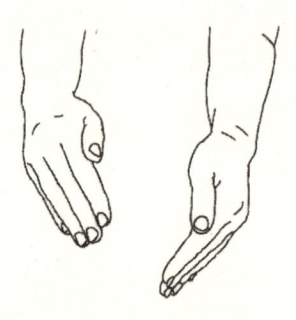

2. Coloque as mãos em concha entre sete e dez centímetros acima do corpo do curado.
3. Inicie fazendo movimentos aleatórios de pancadinhas no ar.
4. Cada mão trabalha de maneira independente.
5. As mãos devem mudar de direção, ângulo e velocidade constantemente.

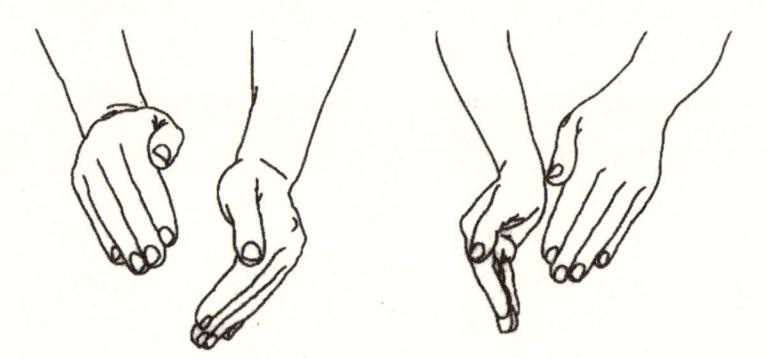

6. Faça isso por aproximadamente quatro minutos.

Espiral em sentido horário

Utilize esta técnica para abrir ou liberar o fluxo de energia. Ela também soltará os músculos tensionados, aliviará nervos pinçados, removerá congestão e aliviará a artrite. NÃO use esta técnica em sangramentos ou em qualquer ferida aberta, pois ela aumentará o sangramento.

1. Com esta técnica, você utilizará várias partes da mão para objetivos específicos:

   ☆ **Dedo indicador**: Use este dedo para um trabalho bastante estreito e específico. Lembrará um raio suave de *laser* se você não forçar a energia. Seja gentil.

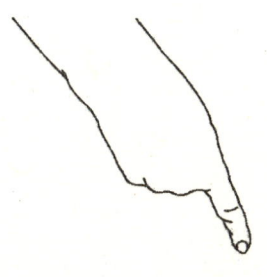

   ☆ **Dedos indicador e médio**: Esta é uma energia concentrada e geral. Em diversas técnicas, você utilizará esses dois dedos para movimentar a energia. Depois de escolher qual parte de sua mão você usará, siga os passos das imagens abaixo.

   ☆ **Chacra da mão**: Utilizado em situações em que a energia é muito concentrada, isto é, estresse, mágoa e situações de tensão excessiva.

★ ★ ★ ★ ★ ★ ★ ★ ★ ★ ★ ★ ★ ★ ★ ★ ★ ★

☆ **Mão aberta**: Utilize com crianças e bebês, pois a mão aberta tem um efeito seguro, calmo e nutritivo.

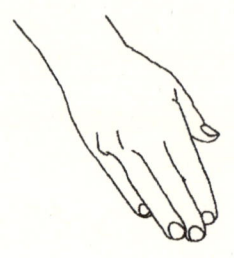

2. Direcione a energia com sua mão dominante.
3. Faça círculos em espiral no sentido horário.
4. Faça os círculos aproximadamente três vezes, ao tamanho da área que está sendo curada.
5. Mantenha uma distância de aproximadamente cinco centímetros do corpo.
6. Enquanto continua fazendo os círculos, distancie a mão para aproximadamente 40 centímetros.
7. Repita três vezes.

Escova

Se o seu curado precisa ter fluidos movimentando-se em seu corpo, a utilização da escova vai começar a limpar as energias não-vitalizadas por meio dos fluidos corporais. Esta técnica funciona com os fluidos corporais e penetra em cavidades como seios da face e pulmões. Às vezes, é bastante útil para movimentar os fluidos do estômago e dos intestinos.

1. Coloque a mão não-dominante no corpo.
2. Abra os dedos da mão dominante.
3. Comece a escovar a aura entre cinco e dez centímetros acima da cavidade.

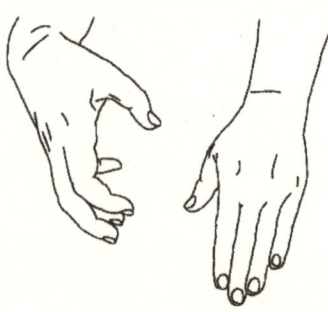

4. Limpe a mão.

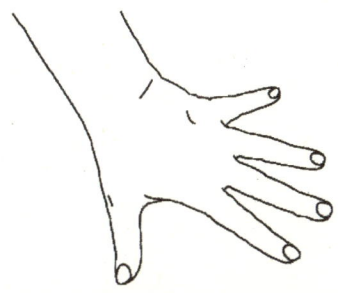

5. Repita várias vezes até sentir que os fluidos estão correndo pelo corpo e as energias não-vitalizadas tenham sido removidas.

Espiral em sentido anti-horário

1. Utilize os movimentos no sentido anti-horário para eliminar energias como verrugas, sangramento, infecções e fungos. O espiral em sentido anti-horário é uma energia de soltura; portanto, *não* a utilize em ossos quebrados. Esta técnica elimina a energia em excesso. Esteja ciente daquilo que está eliminando ao utilizar esta energia.

   ☆ **Dedo indicador**: Esta é uma energia parecida com um *laser* e precisa ser usada em lugares pequenos quando se faz um trabalho sutil.

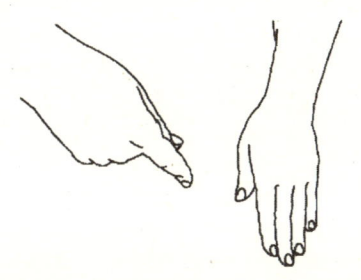

   ☆ **Dedos indicador e médio**: Esta é uma energia mais suave e, em geral, usada quando se faz a técnica do sentido anti-horário.

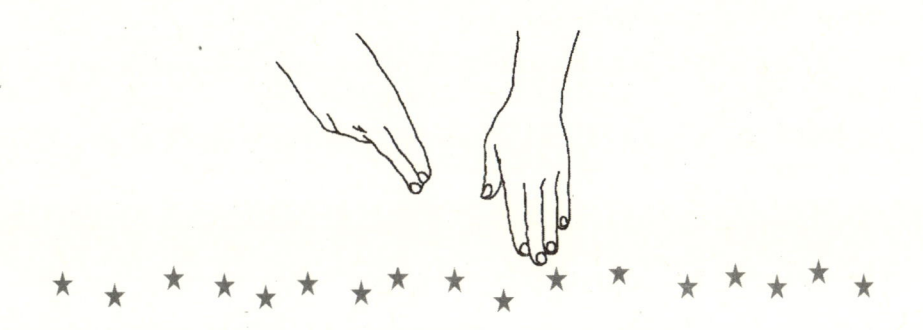

☆ **Chacra da mão**: Usado quando a energia está muito dispersa, como em um desmaio.

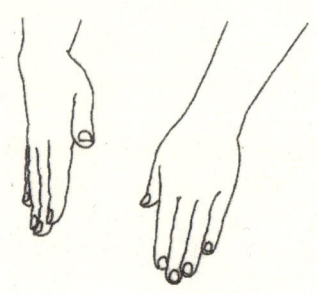

☆ **Mão aberta**: Utilize esta energia com crianças pequenas, principalmente na hora de colocá-las para dormir.

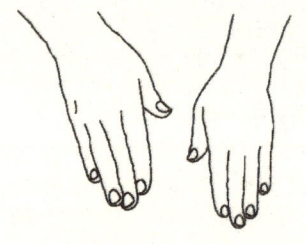

2. Coloque a mão não-dominante no curado.
3. Com sua mão dominante, faça círculos em forma de espiral no sentido anti-horário.
4. Faça os círculos três vezes ao tamanho da área a ser curada.
5. Fique distante do corpo aproximadamente cinco centímetros.
6. Distancie-se aproximadamente 40 centímetros.
7. Repita três vezes.

A esfera do Criador

Esta técnica deve ser usada em dores e desconfortos recentes. Ela não é eficaz para remover dores antigas.

1. Com o dedo médio e o polegar da mão dominante, forme a letra C.

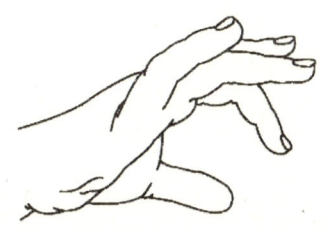

2. Imagine que esses dedos estão segurando um pequeno planeta Terra com as cores azul e verde bem vivas da azurita e da malaquita.
3. Da esquerda para a direita, inicie a rotação da Terra em seu eixo.
4. Insira a esfera em rotação na área afetada do corpo do curado enquanto continua segurando-a.
5. Conforme sua mão ficar pesada, coçando, formigando ou suja, jogue a esfera fora.

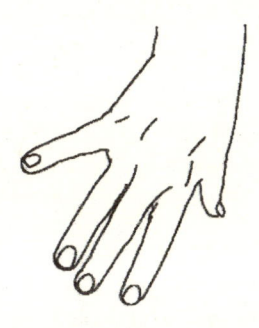

6. Continue substituindo as esferas até que o curado sinta uma diferença na área.

Olhos

Este exercício vai melhorar a visão. Repita-o com seu curado durante 28 dias seguidos e ele enxergará 100% melhor. Não toque o curado.

★ ★ ★ ★ ★ ★ ★ ★ ★ ★ ★ ★ ★ ★ ★ ★ ★ ★ ★

1. Sente o curado e fique atrás dele.
2. Deixe suas mãos em forma de *L*.

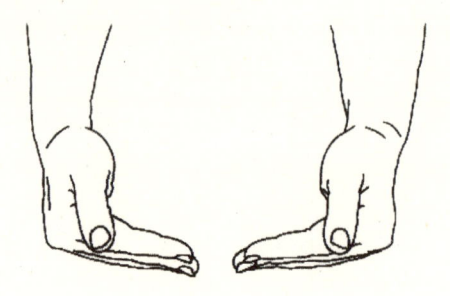

3. Com as mãos na frente dos olhos do curado, toque a ponta de seus dedos.

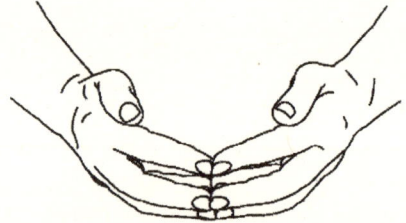

4. Separe os dedos aproximadamente meio centímetro.
5. O curado deve manter os olhos abertos durante o processo.
6. Movimente os dedos em forma de onda de cima para baixo.

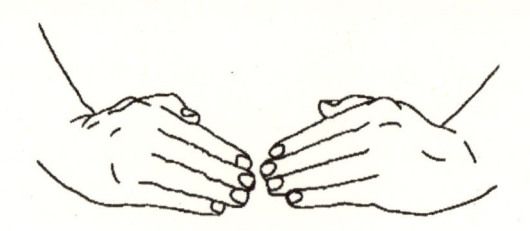

7. Deixe espaço suficiente entre os dedos para poder bloquear a luz da direção dos olhos do curado.

★ ★ ★ ★ ★ ★ ★ ★ ★ ★ ★ ★ ★ ★ ★ ★ ★

8. Quando sentir a energia em suas mãos, elimine-a chacoalhando as mãos; repita o processo.
9. Coloque suas mãos em formato de concha na frente dos olhos do curado e visualize uma onda de energia passando por suas mãos. O curado deve manter os olhos abertos.

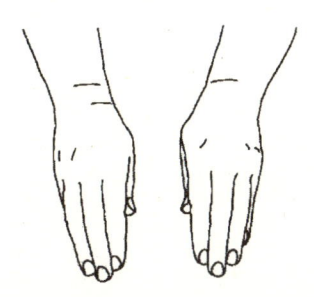

10. Vá para a frente do curado. Coloque suas mãos sobre os olhos dele, sem enviar ou receber energia.

Inundação

A técnica da inundação preencherá espaços com energia "nova", criará vitalidade e circulará para somar-se às energias existentes. Às vezes, intuiremos a necessidade de descarregar antes de inundar.

1. Coloque a "mão consciente" direita no corpo.
2. Utilize a mão esquerda para trazer a energia da Origem.
3. Inunde o corpo com energia pela mão direita.

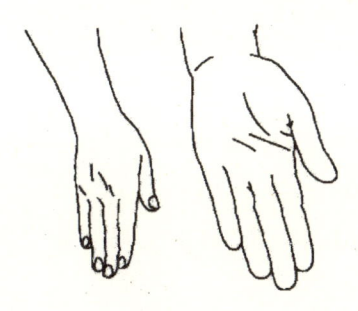

Descarga

Utilize a descarga para drenar as energias "usadas" do corpo, para iniciar o movimento das toxinas ou para remover a energia de suporte de um bloqueio ou de uma forma-pensamento.

1. Coloque a "mão consciente" esquerda no corpo.
2. Comece a extrair a energia.
3. Peça para que a Origem filtre.
4. Estenda a mão direita.
5. Libere a energia "usada" pela mão direita.

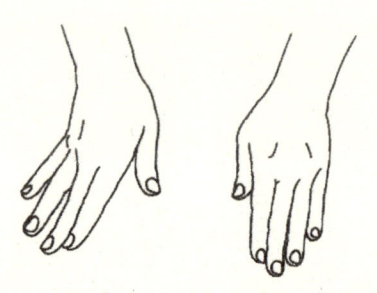

6. Depois desta técnica, utilize a técnica da inundação ou outra técnica de preenchimento.

Quatro direções

Quatro direções é uma técnica americana nativa. Ela pode ser usada em qualquer lugar do corpo. É especialmente eficaz em juntas, ligamentos e tendões. Ela preenche a área rapidamente com energia.

1. Conscientize as mãos.

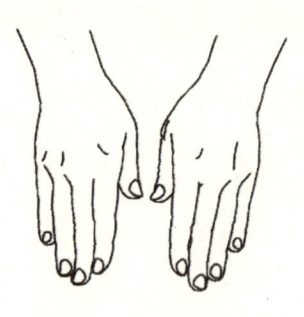

2. Coloque a mão não-dominante sobre o curado.
3. Coloque a mão dominante sobre a outra mão.

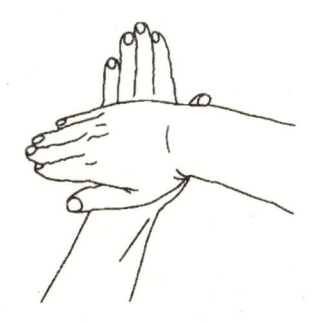

4. Começando em qualquer uma das quatro direções, preencha o local com energia.
5. Seguindo no sentido horário para a próxima direção, coloque sua mão dominante perpendicular à sua última posição e preencha.

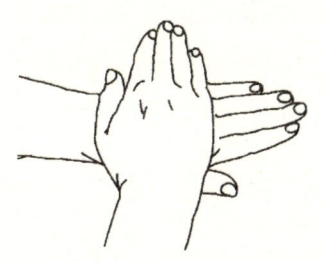

6. Faça isso até ter passado por todas as direções.

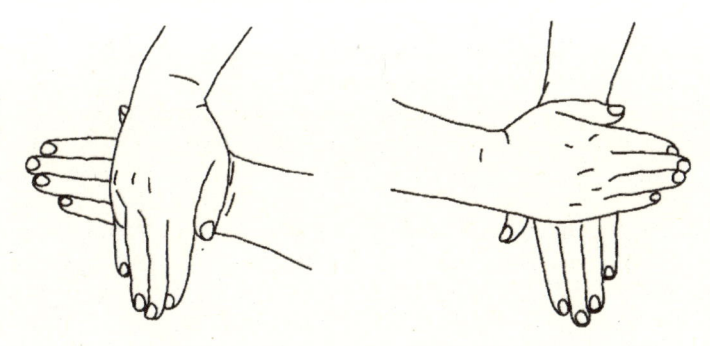

7. Equilibre o outro lado do corpo, se necessário.

Quatro Elementos e quatro direções

1. Utilize a mesma técnica descrita anteriormente. Em cada posição, traga os Elementos na seguinte ordem:

☆ 1. Ar.
☆ 2. Fogo.
☆ 3. Água.
☆ 4. Terra.

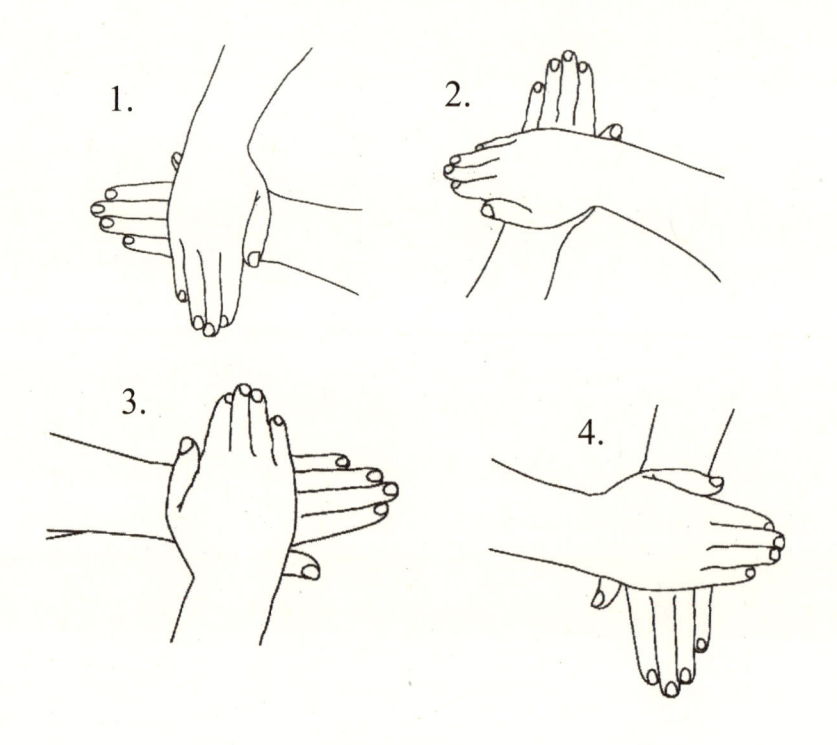

Hopi

Hopi é uma técnica utilizada para preencher um curado com energia. Utilize-a quando o curado estiver descarregado ou desconfortável. A Hopi é excepcional para as pessoas com doenças crônicas, pois o corpo delas precisa de mais energia para continuar o processo de cura.

Siga os passos a seguir 11 vezes:

1. O curado fica deitado de barriga para baixo.
2. Posicione a mão dominante sobre a não-dominante, sobrepondo os chacras das mãos.

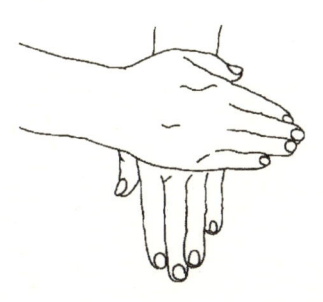

3. Coloque as mãos nas costas do curado, na direção do chacra do coração.
4. Preencha com energia vitalizada. Você saberá quando deve parar de preencher.
5. Mantendo a mão não-dominante na parte de trás do chacra do coração, transforme a mão dominante em uma arma de *laser* usando o polegar e o indicador.

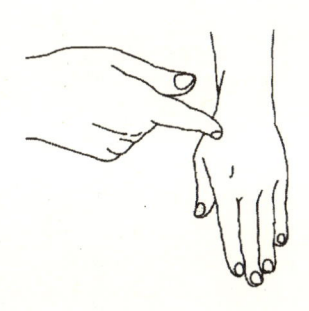

6. Emita um raio de energia nas costas da sua outra mão sobre o curado. Faça movimentos circulares no sentido horário.

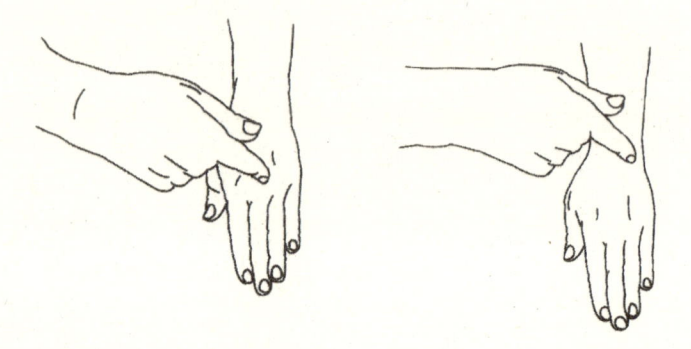

7. Você saberá quando parar.
8. Com os polegares e os dedos médios, forme uma letra C. Todos os outros dedos devem apontar para fora.

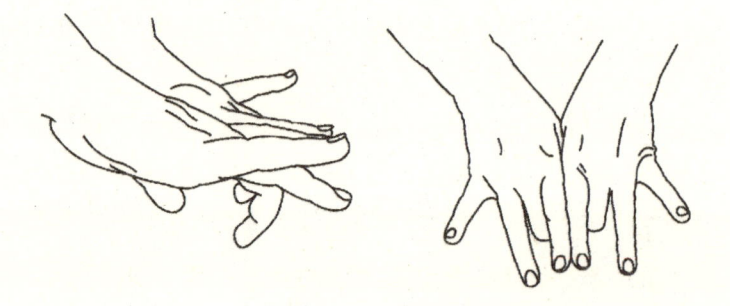

9. A parte aberta da letra C envolve a coluna. Os dedos que estão apontando para fora liberam a energia coletada no chacra do coração.
10. Para selar, coloque a mão não-dominante sobre a parte de trás do chacra do coração do curado, com sua mão dominante sobre ela, para que os chacras das mãos fiquem alinhados. Nesse momento, não envie ou receba energia — você está selando. Esta ação deve ser rápida.

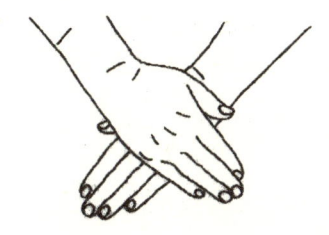

Cura a distância

Muitas curas podem ser feitas a distância e de modo eficaz. A energia da luz gerada durante qualquer sessão de cura será mais rápida do que a velocidade da luz, portanto alcançará o curado em qualquer lugar do planeta em menos de um segundo. A física quântica, que trabalha durante uma sessão de cura a distância, geralmente encurta o tempo da sessão (já que as energias são transportadas de modo mais compacto), se comparado ao tempo de uma sessão de cura pessoal.
1. Limpe, conecte-se à terra e faça a conexão.
2. Inspire, encontrando a vibração da pessoa.
3. Encontre a onda da pessoa.
4. Eleve a vibração.
5. Ajuste a onda.
6. Libere a vibração.

Afastamentos

Afastamentos são técnicas que puxam a energia dos corpos. Em geral, são feitos com movimentos rápidos. O ponto mais importante a ser lembrado sobre os afastamentos é que a energia, que mantém o bloqueio ou a forma-pensamento, precisa ser liberada para que possa eliminar a energia não-vitalizada.

A palma

1. Conscientize as mãos.

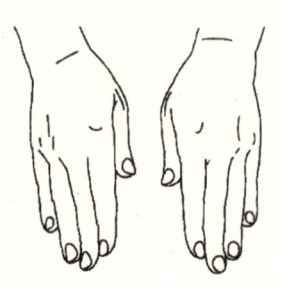

2. Preencha a área com energia e espere pela grande mudança da energia.
3. Remova a energia não-vitalizada.
4. Bata palmas repentina e rapidamente.

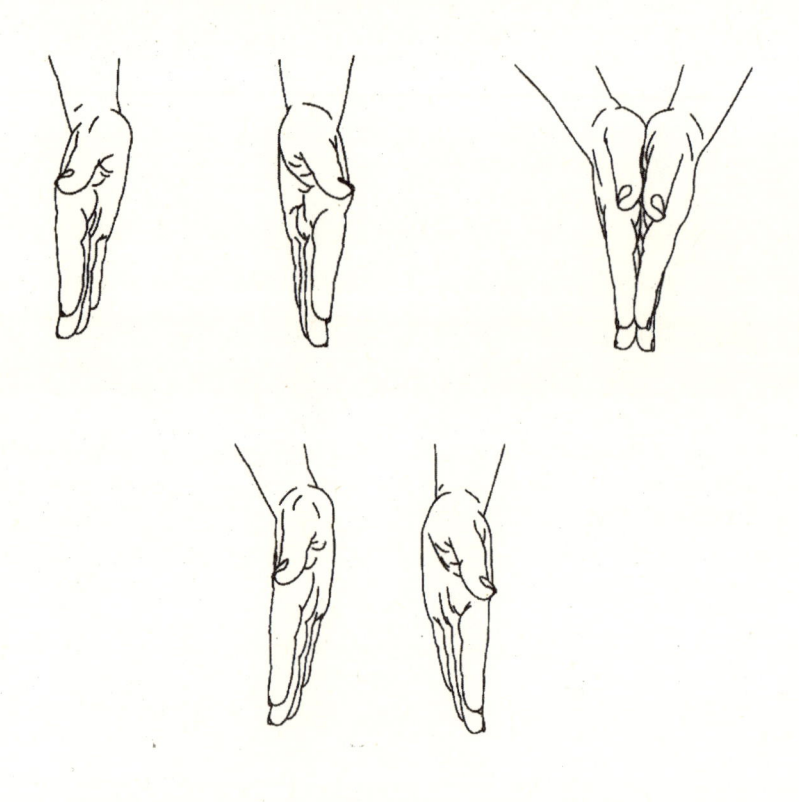

5. Verifique se a energia realmente foi dissipada.
6. Preencha a área da qual você removeu a energia com a luz colorida apropriada.

A puxada

1. Conscientize as mãos.

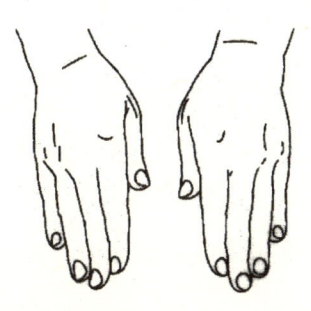

2. Preencha a área com energia.
3. Perceba a forma e o tamanho do bloqueio ou da forma-pensamento.
4. Agarre a energia não-vitalizada e segure firmemente, enquanto a afasta gentilmente do corpo.

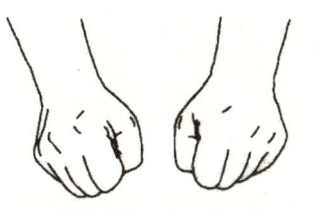

5. Livre-se da energia apropriadamente.

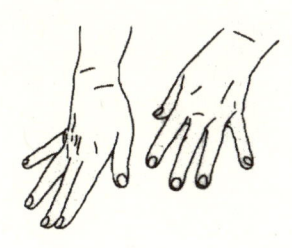

6. Verifique se a área está limpa.
7. Preencha a área com a luz colorida apropriada.

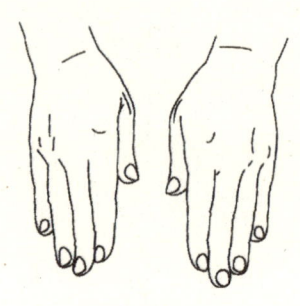

O gancho

1. Conscientize as mãos.

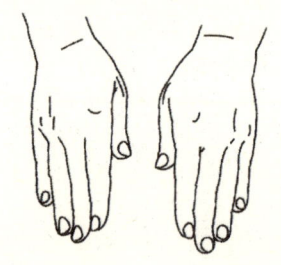

2. Preencha a área com energia.
3. Espere até sentir uma mudança na energia não-vitalizada.
4. Forme um gancho com seu dedo e, rapidamente, puxe a energia.

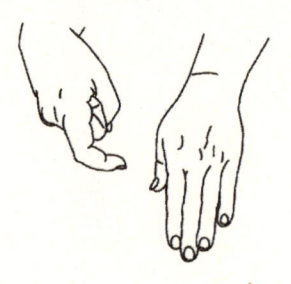

5. Livre-se dela de maneira apropriada.

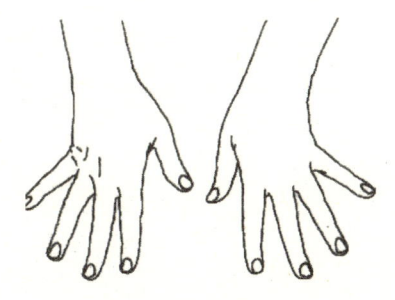

O estalo

1. Conscientize as mãos.

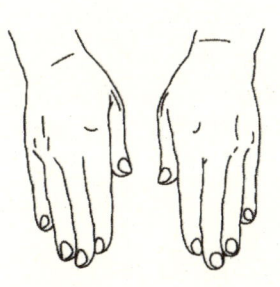

2. Preencha a área com energia.
3. Espere até sentir uma mudança na energia.
4. Coloque a mão a aproximadamente cinco a dez centímetros do corpo.

5. Estale os dedos rapidamente, três vezes.

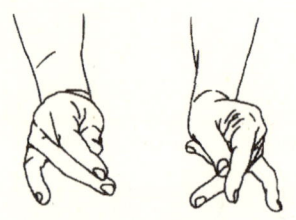

6. Preencha a área com energia vitalizada.

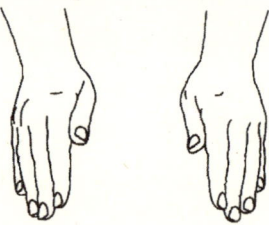

Cura substituta

Às vezes, você vai querer fazer uma cura a distância mais detalhada. Este é o momento em que seria benéfico utilizar um substituto. Ao utilizar um substituto, lembre-se de trabalhar com quem esteja com a saúde boa. Quando isso não for necessário, você pode escolher um substituto, para facilitar a cura, que tenha características similares (físicas, mentais, emocionais e/ou espirituais) às do curado.

1. Limpe, conecte-se à terra e faça a conexão.
2. Peça permissão ao substituto para utilizar seu corpo para curar outra pessoa.
3. Peça permissão ao curado para curá-lo por meio do substituto.
4. Note a mudança na energia do substituto.
5. Você poderá notar um zumbido, um estalo ou um clique quando a mudança ocorrer.
6. Encontre e eleve a vibração.
7. Encontre e ajuste a onda.

A figura

A figura é uma técnica em que o curandeiro e o curado trabalham juntos para mudar a figura de uma doença. Ao usar esta técnica, você e o curado utilizarão a energia juntos para fazer as mudanças.

1. Coloque suas mãos nos ombros do curado.

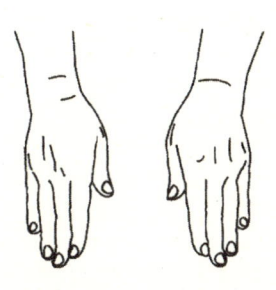

2. Comece fazendo as seguintes perguntas (peça que o curado responda a cada uma, antes de fazer a próxima pergunta):

    ☆ Onde está a doença?
    ☆ De que tamanho ela é?
    ☆ Que forma ela tem?
    ☆ Qual é o peso dela?
    ☆ De que cor ela é?
    ☆ Como é sua textura?
    ☆ Como é o som?
    ☆ Como é a sensação?
    ☆ Como é o cheiro?

3. Essas perguntas iniciarão o processo de separar, *conscientemente*, a doença do curado. Certifique-se de que o curado responda completamente a cada pergunta, pois as respostas permitirão que ele se familiarize mais com a doença.

4. Com esta técnica, o curado participa ativamente de sua cura. Ele poderá atuar e adicionar mais de sua própria energia ao processo do que com a maioria das técnicas e exercícios.
5. Forme uma das visualizações a seguir. Este ato somará energia à cura, adicionando som e cor. Tendo as respostas das perguntas em mente, deixe que o curado escolha entre o seguinte:

☆ **Pac Man**: Imagine pequenas criaturas do Pac Man comendo as bordas de sua doença. Chomp, chomp, chomp. Vê como estão ocupadas? Sinta a doença diminuir. Escute-as trabalhar. Você e o curado devem fazer os sons de "chomp, chomp" juntos. Agora, aumente o volume.

☆ **Arma de *Laser***: Imagine que você tem uma arma de *laser*. Essa arma dispara a energia curativa e as luzes mais puras. Comece a atirar na doença. Faça barulhos de arma de *laser* com o curado. Veja a doença diminuindo. Ouça o barulho conforme ela se quebra e se dissolve. Sinta a diferença. Aumente o barulho da arma de *laser*.

☆ **Cachoeira**: Imagine que uma cachoeira enorme, como as Cataratas do Niágara, está passando por cima da doença. A água está cheia de energias curativas. Faça barulhos de água com o curado. Visualize a água levando a doença. Sinta a força das águas. Ouça a água. Aumente o barulho de água.

☆ **Lança-chamas**: Imagine que você tenha um lança-chamas. A chama que sai dele é a da purificação. Atire na doença. Você e o curado devem fazer barulho de fogo. Visualize as chamas em ação. Ouça as chamas. Sinta a diferença na área doente. Aumente o barulho das chamas.

☆ **Tornado**: Imagine que você possa controlar um tornado. Esse tornado é composto pelos ventos da luz. Faça que o tornado varra a área doente. Você e o curado devem fazer sons de tornado. Visualize o tornado varrendo a doença. Ouça o tornado trabalhar. Sinta a diferença na doença conforme o tornado atua. Aumente os sons de tornado.

☆ **Britadeira**: Imagine que você tenha uma britadeira que quebrará a doença. Faça que a britadeira comece nas bordas da doença e vá entrando. Você e o curado devem fazer sons de britadeira. Visualize a britadeira em ação. Ouça a britadeira. Sinta a diferença na doença conforme a britadeira trabalha. Aumente os sons de britadeira.

☆ **Aspirador de pó**: Imagine que você tenha um aspirador que sugue a doença. Faça que ele comece pelas bordas. Você e o curado devem fazer sons de aspirador juntos. Visualize a doença diminuindo. Ouça o aspirador funcionando. Sinta a diferença na doença. Aumente o barulho de aspirador.

☆ **Cortador de grama**: Imagine que você tenha um cortador de grama. Esse cortador remove a energia não-vitalizada. Faça que ele comece em uma ponta. Você e o curado devem fazer sons de cortador de grama. Visualize a doença diminuindo. Ouça o cortador funcionar. Sinta a doença enfraquecer. Aumente os sons de cortador de grama.
☆ **Bolhas**: Imagine bolhas que limpam. Essas bolhas limpam as energias usadas e deixam as vitalizadas. Faça que as bolhas atuem em todas as bordas da doença. Você e o curado devem fazer sons de bolhas. Visualize a ação das bolhas. Ouça-as trabalhando. Sinta a doença diminuindo. Aumente os sons de bolhas.
☆ **Sr. Limpo**: Imagine um amigável sr. Limpo vestido de branco. Ele limpa as energias usadas. Você e o curado devem emitir sons de escovas de limpeza. Visualize como ele é forte e trabalha duro. Ouça as escovas em ação. Sinta a energia usada desaparecendo. Aumente o barulho de escovas.
6. Depois de fazer a visualização, faça as seguintes perguntas ao curado:
   ☆ Como se sente?
   ☆ De que tamanho está a doença?
   ☆ Que forma tem a doença?
   ☆ Como é a textura da doença?
   ☆ Qual é a diferença na doença?
   ☆ O que ela tem a dizer a você?
   ☆ O que ela precisa saber para ir embora?

   O curado deve pedir que a doença responda. Pergunte se a doença precisa de mais alguma coisa.
7. Se a doença precisar de mais alguma coisa, o curandeiro trabalhará com o curado para suprir essa necessidade.
8. Agora, escolha uma segunda ferramenta das visualizações e utilize-a até que a doença tenha desaparecido. Para criar sua própria ferramenta, inclua sons, visualizações e sensações. Faça sons com o curado. Trabalhe por alguns minutos; em seguida, aumente o barulho. Continue verificando até a doença ir embora. Peça que o curado repita o mesmo processo em casa.

O pulso

Em algumas partes do corpo, o pulso tem um papel importante na cura. Vamos começar com algo bem simples e ir até o avançado. Isto é muito importante: a taxa de cura universal são 72 batimentos por minuto.

1. Coloque sua mão no corpo do curado.

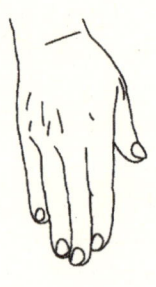

2. Você sentirá pulsações diferentes em qualidade e em intensidade ao utilizar a energia curativa. Estas são as pulsações nas quais você se concentrará:
   ☆ **Pulsação forte**: Ela parece um tambor ou um punho pequeno. Em geral, associa-se a um órgão que não está nas energias da onda e precisa ser curado.
   ☆ **Pulsação constante**: Esta é uma pulsação muscular; é possível sentir o músculo rolando a partir da energia curativa de sua mão conforme absorve a energia.
   ☆ **Pulsação fraca**: É uma pulsação pequena, que tem mais ou menos o tamanho de um alfinete e indica que um nervo precisa de alinhamento.
3. Quando você sentir as energias curativas da Origem ativando essas partes do corpo, notará a pulsação, se ela está lenta ou rápida. Não é importante contar. Você saberá quando a pulsação atingir os 72 batimentos por minuto.
4. Às vezes, pronunciar a seguinte frase ajuda: "Mente subconsciente que existe para servir e proteger, peço que seja servil agora ajustando a pulsação para 72 batimentos por minuto".
5. Peça que o subconsciente leve as energias da Origem para si, para o bem maior de todos os envolvidos.

Dobra

Esta técnica eliminará as bordas, concentrando-se nas energias curativas naturais do corpo para apoiar a cura. Ela leva alívio ao curado. Também é um ótimo analgésico.

1. Comece com uma distância de aproximadamente 15 centímetros da área de cura.
2. Dobre a energia como se faz com uma torta.

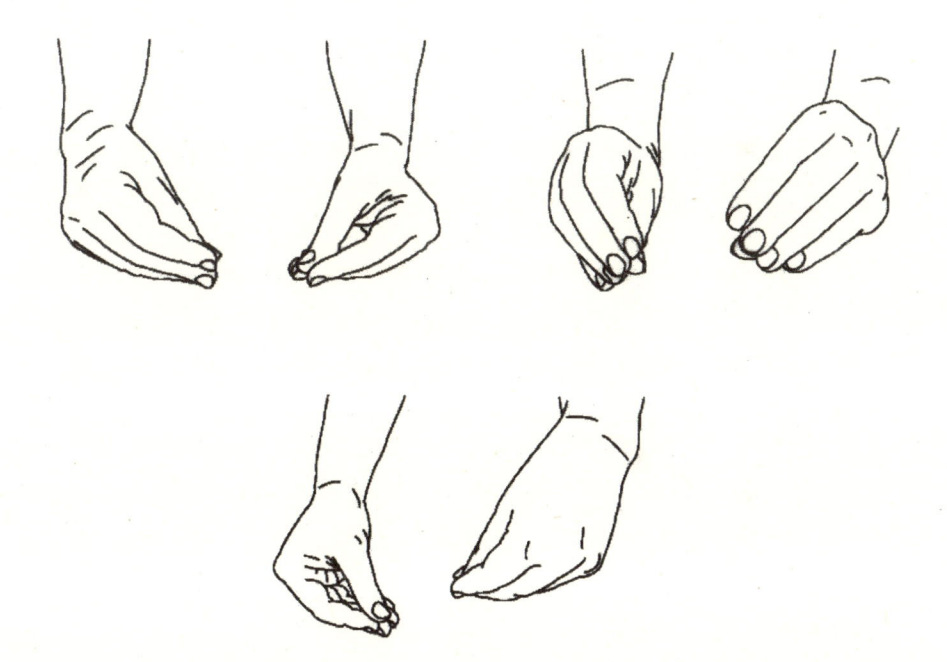

3. Certifique-se de fazer isso ao redor de toda a área.
4. Afague a volta e preencha com luz azul.

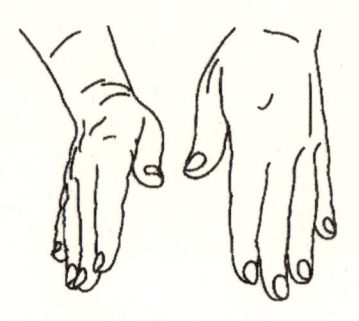

5. Preencha com luz verde.

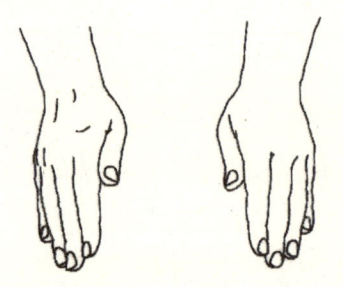

A Caixa de Ferramentas do Curandeiro

Cura Emocional

A diferença entre sentimentos e emoções é que os sentimentos estão no PRESENTE. Os sentimentos têm um papel muito importante em nossas vidas e fazem parte de nosso crescimento e de nossa cura; é essencial que aprendamos a expressá-los de maneira adequada. As emoções são sentimentos com que não lidamos bem ou que não soubemos expressar. Elas levam consigo cargas relacionadas às nossas reações a eventos passados. As emoções, quando tratadas apropriadamente, permanecem em nossas células e em nossos campos de aura, ficando cada vez mais densas com o tempo, conforme mais emoções são adicionadas. Um dia, essas emoções reprimidas ou suprimidas podem transformar-se em uma doença física.

Como curandeiro, seu papel é assistir o curado no acesso e remissão das emoções reprimidas e suprimidas, armazenadas nas células e no campo do curado.

Exterminador de raiva

Esta técnica é excelente para ajudar o curado a eliminar a raiva suprimida ou reprimida.

1. Limpe, conecte-se à terra e faça a conexão.
2. Coloque a mão dominante sob a axila esquerda.
3. Coloque a outra mão na parte de trás do pescoço.

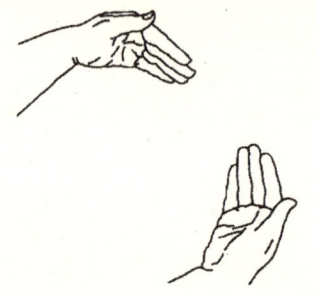

4. A partir da parte de trás do pescoço, puxe a raiva para fora.

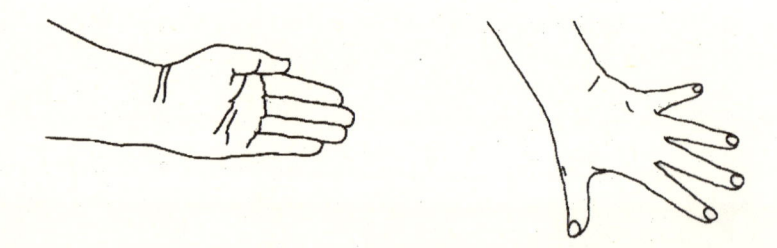

5. Preencha a axila com energia verde.

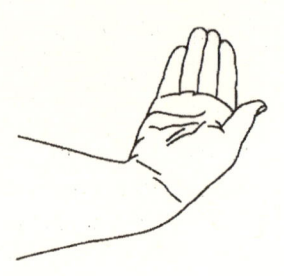

6. Conforme a raiva ceder, a necessidade pelo verde será maior.
7. Chacoalhe a mão não-dominante e coloque-a no pescoço.

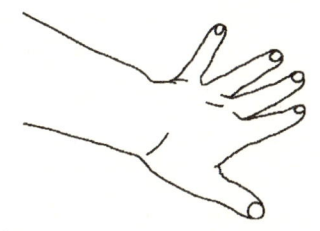

8. Puxe a raiva.

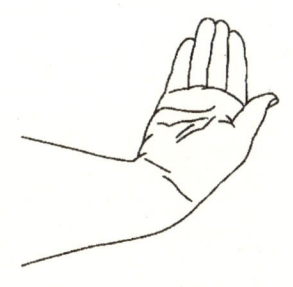

9. Preencha a axila com energia azul.

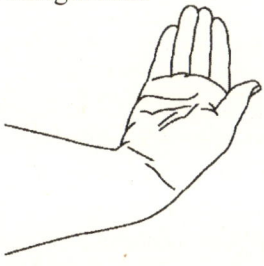

10. Repita os passos de um a nove até sentir a conclusão.

11. Chacoalhe as mãos.

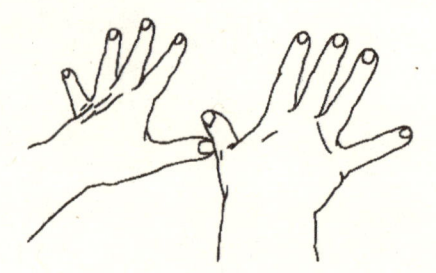

12. Se a raiva não se movimentar, faça o exercício de equilíbrio do estalo rápido.
13. Sem tocar no curado, estale o chacra da parte de trás do curado.

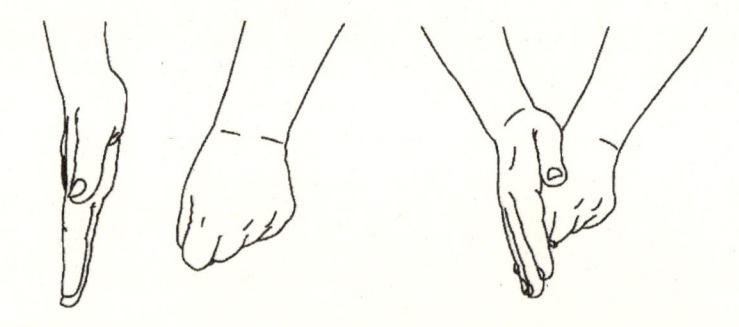

14. Repita o exercício de equilíbrio do chacra pelo estalo rápido.
15. Quando a raiva desaparecer, faça o estalo rápido.

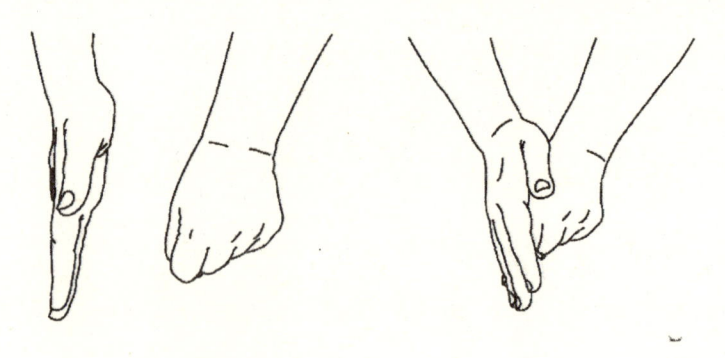

Cabeça limpa

Quando um curado se encontra em estado de confusão, a técnica da cabeça limpa desconecta os padrões emocionais suprimidos ou reprimidos dos processos de pensamento do curado.

1. Limpe, conecte-se à terra e faça a conexão.
2. Coloque a mão dominante na cabeça.

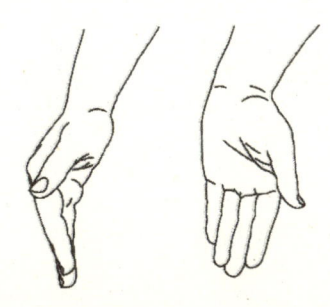

3. Coloque a mão não-dominante na parte de trás do pescoço.
4. Transmita energia amarela pelo chacra da coroa.
5. Transmita energia verde pelo chacra da coroa.
6. Transmita energia azul pelo chacra da coroa.
7. Transmita energia branca pelo chacra da coroa.
8. Repita o processo após aproximadamente dez minutos.

O berço do coração

Se o curado está sofrendo com uma falta de carinho, principalmente proveniente da relação criança/mãe, o berço do coração reprogramará as energias do coração para invocar a integridade criada pelo carinho.

1. Limpe, conecte-se à terra e faça a conexão.
2. Coloque a mão não-dominante sob a caixa torácica esquerda.

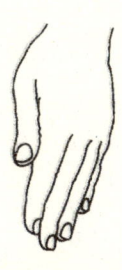

★ ★ ★ ★ ★ ★ ★ ★ ★ ★ ★ ★ ★ ★ ★ ★ ★ ★ ★ ★

3. Direcione a energia para o coração.
4. Mantenha a mão firme até que o coração do curado tenha absorvido uma quantidade suficiente de energia.
5. Movimente a energia como se fosse um berço.

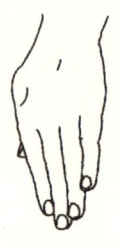

6. A energia usada sairá.
7. Limpe a mão com frequência.

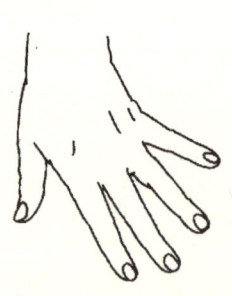

8. Repita com frequência até ter uma sensação de integridade e bem-estar do curado.

Coração profundo

Quando o curado está a ponto de se preparar para deixar para trás as feridas e emoções mais antigas, esta técnica é altamente eficaz para preencher as áreas do coração que mais precisam de apoio.
1. Limpe, conecte-se à terra e faça a conexão.
2. Coloque a mão não-dominante no meio do peito e certifique-se de que ela esteja no nível do coração.

3. Coloque a mão dominante nas costas.

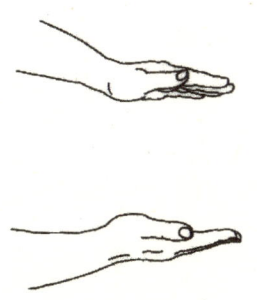

4. Certifique-se de que as mãos estão paralelas ao corpo do curado, no centro.
5. Da mão que está no peito, transmita energia verde, gentil.
6. Da mão que está nas costas, transmita energia cor-de-rosa, gentil.
7. Alterne entre as energias verde e cor-de-rosa.
8. Repita várias vezes, até sentir que a energia está completa.

Alívio do sofrimento

Quando o curado sofreu por um longo período, o alívio do sofrimento é uma excelente técnica para que ele se livre do padecimento. Se o curado começar a chorar durante a técnica, recomenda-se que o curandeiro pare de usar esta técnica e faça outra coisa.

1. Limpe, conecte-se à terra e faça a conexão.
2. Coloque a mão não-dominante sobre o coração.

3. Gentilmente, puxe o sofrimento do coração. Chacoalhe a mão.

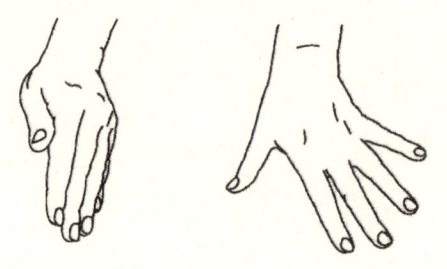

4. Com a mão dominante, preencha o coração com energia cor-de-rosa.

5. Coloque a mão não-dominante sobre o plexo solar.

6. Gentilmente, puxe a confusão para fora do chacra.

7. Preencha o plexo solar com energia amarela limpa.

8. Coloque a mão no terceiro olho.

9. Puxe a separação para fora do terceiro olho.

10. Preencha o terceiro olho com luz branca.

11. Coloque a mão no chacra da coroa.

12. Preencha a coroa com paz.

★ ★ ★ ★ ★ ★ ★ ★ ★ ★ ★ ★ ★ ★ ★

13. Passe as mãos nos ombros do curado.

14. Abra os chacras das plantas dos pés.
15. Faça círculos no sentido horário.

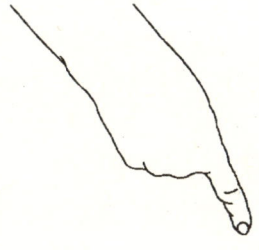

16. Abra os chacras das mãos.
17. Faça círculos no sentido horário.

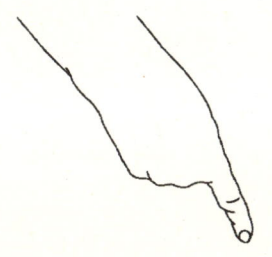

Coração cheio

Quando o curado é desafiado por uma falta de habilidade para dar ou receber amor a si mesmo e aos outros, o coração cheio preencherá o coração do curado com amor, lembrando-lhe o que é o amor.

1. Limpe, conecte-se à terra e faça a conexão.
2. Coloque a mão dominante sobre a caixa torácica esquerda.

3. Envie "sopros" de amor incondicional.
4. Envie energia cor-de-rosa diretamente ao coração.
5. Envie sopros de amor incondicional.
6. Envie energia verde direta.
7. Continue alternando.

Coração branco

Quando o curado desconectou sua cabeça do coração, a técnica do coração branco serve para restabelecer o fluxo desta conexão. É uma técnica excelente para curar o coração físico, mantendo-o saudável.

1. Limpe, conecte-se à terra e faça a conexão.
2. Deite o curado no chão.
3. Verifique a maneira como a energia do coração está fluindo.
4. Coloque as mãos sobre o peito, com os polegares encontrando-se para formar uma letra *W*.

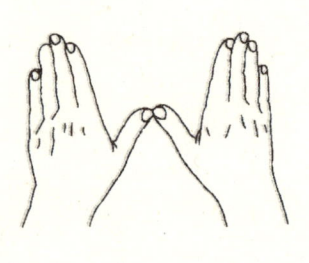

5. Os dedos de suas mãos devem ficar sobre os mamilos.
6. O *W* aponta para a cabeça.
7. Sinta se a energia está se movendo do coração para a cabeça.
8. Inverta o *W* para que ele aponte para os pés.

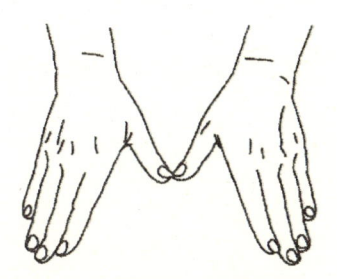

9. Envie energia para a cabeça do curado.
10. Limpe, conecte-se à terra e faça a conexão.
11. Ajoelhe-se perto da cabeça do curado.
12. Coloque as mãos uma sobre a outra.
13. Certifique-se de que seus chacras estejam alinhados.
14. Balance para a frente, empurrando a energia do coração.

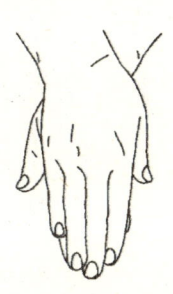

15. Faça isso várias vezes.

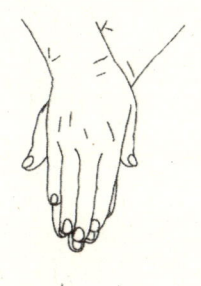

16. Vá para o ombro esquerdo e ajoelhe-se.
17. Coloque as mãos sobre o coração físico.

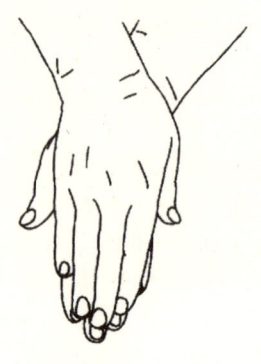

18. Coloque energia no coração.
19. Lentamente, levante a energia.

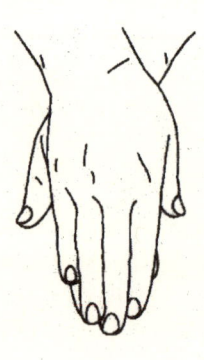

20. Redirecione a energia do coração.
21. Repita até sentir a conclusão.

Coração amplo

Quando as energias do coração do curado estão em um estado de restrição ou limitação, a técnica do coração amplo abrirá e expandirá as energias do coração do curado para que ele possa sentir suas emoções integralmente.

1. Limpe, conecte-se à terra e faça a conexão.
2. Coloque as mãos ao lado do peito.

3. Certifique-se de que as mãos estejam no nível do coração.
4. Envie energia cor-de-rosa gentil da esquerda para a direita.
5. Envie energia verde gentil da direita para a esquerda.
6. Continue alternando.
7. Mantenha a aura limpa acima do coração.
8. Continue alternando.

É importante, com esta técnica, sentir se a energia está passando do coração em direção aos pés. Algumas pessoas colocarão a energia do coração na cabeça, enquanto outras a utilizarão para suportar as necessidades do corpo. Se a energia do coração estiver fluindo para cima ou para baixo, ela não está adequada para o curado, pois as energias do coração devem chegar às outras pessoas e ao mundo. Se elas não estão abertas para se espalhar, o curado continuará tendo dificuldades em relacionamentos consigo mesmo e com outras pessoas.

Em casos em que a energia do coração é sutil, pode ser necessário colocar suas mãos no peito do curado. Certifique-se de que você e o curado sintam-se confortáveis com isso, pois essa é uma área sensível.

Cavidades amplas

Quando o curado se apega a emoções reprimidas e suprimidas e isso fica evidente na tensão do rosto dele, esta técnica amenizará as emoções representadas no rosto. O curado pode chorar durante esta técnica. É importante *não* tocar no curado enquanto ele estiver chorando. Permita-lhe passar pela emoção enquanto você mantém sua posição.

★ ★ ★ ★ ★ ★ ★ ★ ★ ★ ★ ★ ★ ★ ★ ★ ★ ★

1. Limpe, conecte-se à terra e faça a conexão.
2. Coloque as mãos sobre o rosto.
3. Os polegares devem encontrar-se entre as sobrancelhas.

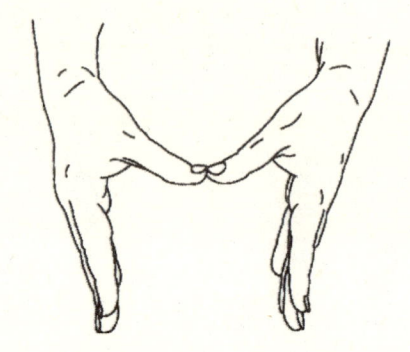

4. Com os chacras da mão, envie energia da Água para o rosto.
5. Envie energia do Ar para o rosto.
6. Envie energia azul para o rosto.
7. Repita até que o curado tenha expressado emoção ou quando a tensão do rosto se suavizar.

Asserções

Asserções são mentiras que dizemos a nós mesmos até que elas se tornem realidade. Para que uma asserção seja realmente eficaz, é essencial estar familiarizado com o conceito de *frequência* versus *intensidade*. Uma falta de entendimento deste conceito pode fazer que uma asserção não funcione.

Você pode ter uma asserção, que diz todas as manhãs quando acorda. Você coloca todo seu sentimento e intensidade nela e a grita para o mundo. Você usou a intensidade na expressão dessa asserção. Então, você segue seu dia e pensa em várias coisas que são exatamente o oposto da asserção que disse pela manhã.

Quais pensamentos criarão sua realidade? Certo... os pensamentos que você tem com mais frequência.

É a *frequência* e não a *intensidade* que faz que uma asserção funcione; portanto, ao usar, pensar e dizer sua asserção, é essencial que você faça estas coisas consideravelmente mais vezes do que pensa no contrário dela, ou em pensamentos críticos, de sabotagem, que criaram seu antigo padrão.

Existem muitas maneiras de dar lição de casa ao seu curado. A frequência é um elemento essencial para as asserções, assim como identificar uma asserção que ressoe com o curado. Nesta seção, você encontrará muitos exemplos de asserções para curas físicas, emocionais, mentais e espirituais específicas. Você pode passá-las para seus curados ou pode trabalhar com eles para ajudá-los a criar sua própria asserção. Lembre-se de manter a asserção no tempo presente.

☆ **Amídalas**: A autoridade me nutre.

☆ **Apêndice**: Eu pronuncio palavras de força.

☆ **Artérias**: Eu tenho um fluxo de vida poderoso.

☆ **Asma**: A liberdade é meu direito nato.

☆ **Azia**: Eu progrido na vida de modo amoroso.

☆ **Baço**: Meu ser lida comigo e me protege facilmente.

☆ **Bexiga**: Eu liberto minha espera com facilidade, gentilmente.

☆ **Boca**: Meu poder de expressão é puro.

☆ **Bochechas**: Expresso minhas emoções gentilmente.

☆ **Braço**: Eu sou capaz de levar a vida com amor.

☆ **Brônquios**: Eu aceito a vida respirando facilmente.

☆ **Bursite**: Eu uso as ferramentas apropriadas em todos os trabalhos.

☆ **Cabeça**: Eu aceito todos os pensamentos.

☆ **Cabelos**: Minha sensibilidade soma-se à minha vitalidade.

☆ **Calos**: Há muitos caminhos para a Origem.

☆ **Câncer**: Todas as minhas células crescem normalmente.

☆ **Candidíase**: Sou responsável pela maneira como influencio os outros.

☆ **Catarata**: Minha visão do futuro é clara.

☆ **Cartilagem**: Meu objetivo está ligado às minhas ações.

☆ **Celulite**: Meu processo de pensamento anda para a frente.

☆ **Cérebro**: Eu aceito a presença de todos os pensamentos agora.

☆ **Cicatrizes**: Conscientemente, eu resolvo meu estresse.

☆ **Circulação**: Eu compreendo minhas responsabilidades.

☆ **Clavícula**: A dignidade saudável e a autoestima pertencem a mim.

☆ **Cóccix**: Eu mantenho minhas energias de sobrevivência.

☆ **Cólon**: Eu absorvo somente as energias vitais.

☆ **Congestão**: Eu modifico minhas limitações para poder me libertar.

☆ **Constipação**: Eu libero o passado agora.

☆ **Coração**: Eu aceito a força do amor agora.

☆ **Cortes**: Eu estou cheio de cuidados.

☆ **Costas**: Eu apóio a mim e às minhas escolhas.

☆ **Costelas**: Recebo energia suficiente para suportar minha personalidade.

☆ **Cotovelo**: Eu sou flexível por dentro.

☆ **Coxas**: Eu apóio e satisfaço meus desejos.

☆ **Dedos**: Eu agarro, seguro e mantenho minhas atividades.

☆ **Dedos dos pés**: Eu participo da diversão.

☆ **Dentes**: Eu uso todas as partes da minha vida.

☆ **Depressão**: Minha atenção está voltada para o que existe.

☆ **Derrame**: Meu corpo aceita todas as condições de minha vida.

☆ **Desmaio**: Eu suporto o aprendizado.

☆ **Diabetes**: Eu tenho muito a dar.

☆ **Diarreia**: Tenho muito tempo para concluir.

☆ **Dislexia**: Estou recebendo o que é valioso.

☆ **Doença de Huntington**: Por meio do sentimento, eu crio o objetivo.

☆ **Dor de ouvido** Eu ouço o meu ser interior.

☆ **Endometriose**: Eu expresso minhas energias femininas de modo poderoso.

☆ **Enfisema**: Eu sou responsável por satisfazer meus desejos.

☆ **Esclerose múltipla**: Eu corro na direção do aprendizado.

☆ **Escoliose**: Eu revelo minha verdadeira identidade para todos.

- ☆ **Esôfago**: Eu recebo informações com facilidade.
- ☆ **Estômago**: Eu digiro meu processamento.
- ☆ **Enxaqueca**: Eu só controlo a mim mesmo.
- ☆ **Febre**: Eu estou tranquilo com relação ao crescimento e à expansão.
- ☆ **Feridas**: Eu me curo rapidamente por dentro e por fora.
- ☆ **Fibrose cística**: Minha direção e meus objetivos são o meu alvo.
- ☆ **Fígado**: As energias construtivas são meu modo de vida.
- ☆ **Fungos**: Os outros respeitam os meus limites.
- ☆ **Garganta**: Eu expresso a criatividade, o poder e o ser.
- ☆ **Genitais**: Eu tenho o prazer de minhas energias sexuais.
- ☆ **Gengivas**: Eu absorvo minhas experiências diariamente.
- ☆ **Gengivite**: Presto atenção aos detalhes sobre mim mesmo.
- ☆ **Glândulas**: Eu direciono meu crescimento e meu desenvolvimento com amor.
- ☆ **Glândulas linfáticas**: Minhas defesas são fortes, móveis e rápidas.
- ☆ **Gripe**: Tomo decisões de maneira rápida e fácil.
- ☆ **Hemorróidas**: Todos os meus pensamentos são gentis e vêm no momento oportuno.
- ☆ **Hepatite**: Os detalhes de minha vida são sagrados.
- ☆ **Hérnia**: Eu convivo sabiamente com a criatividade e os desejos.
- ☆ **Hérnia de hiato**: Minha atenção está no processamento dos dados.
- ☆ **Herpes**: Estou seguro de minha identidade.
- ☆ **Herpes-zóster**: Eu permito que a mudança flua na minha vida.
- ☆ **Hipoglicemia**: Tudo o que tenho dentro de mim é valioso para os outros.
- ☆ **Hipotireoidismo**: Eu sou mentalmente ativo.
- ☆ **Impotência**: Respondo fortemente a todas as situações.
- ☆ **Indigestão**: Presto atenção ao que está na minha frente.
- ☆ **Insônia**: Deixo de prestar atenção aos meus pensamentos e relaxo.
- ☆ **Intestinos**: Eu aceito minhas necessidades internas como sendo boas.

- ☆ **Joelhos**: Eu sou humilde.
- ☆ **Juntas**: Meu apego à vida é flexível.
- ☆ **Lábios**: Meus sentimentos e palavras são um só.
- ☆ **Laringite**: Eu completo meu desejo de falar.
- ☆ **Leucemia**: O mundo é meu parque de diversões.
- ☆ **Língua**: Eu digo o que quero, de maneira expressiva.
- ☆ **Lúpus**: Eu relaxo e deixo nas mãos de Deus.
- ☆ **Mal de Parkinson**: Eu participo das experiências da vida.
- ☆ **Mandíbula**: Eu me concentro de maneira objetiva.
- ☆ **Mão**: Eu aprecio lidar com minhas atividades.
- ☆ **Medula**: O meu objetivo é viver a vida.
- ☆ **Melanoma**: Minha imagem de mim mesmo é agradável.
- ☆ **Membranas mucosas**: Eu encaro a vida claramente.
- ☆ **Mononucleose**: Eu ajo sobre meus desejos de existir.
- ☆ **Músculos**: Eu expresso minha força de maneira poderosa.
- ☆ **Nádegas**: Eu me levanto e caminho livremente.
- ☆ **Narcolepsia**: Eu sou estimulado a aprender.
- ☆ **Nariz**: Minhas percepções são comunicadas.
- ☆ **Nervos**: Eu recebo e direciono claramente as experiências de vida.
- ☆ **Olho**: Eu percebo e vejo claramente para compreender.
- ☆ **Ossos**: A vida me trata dignamente.
- ☆ **Ouvidos**: Eu ouço com discernimento.
- ☆ **Ovários**: Meus instintos maternais são completos.
- ☆ **Pâncreas**: Meus agradecimentos são frequentes.
- ☆ **Panturrilhas**: Minhas habilidades de movimento e ação estão energizadas.
- ☆ **Paralisia**: Todos os meus movimentos são aceitáveis.
- ☆ **Paralisia cerebral**: Corrijo minhas ações de modo gentil.
- ☆ **Peito**: Meu amor não tem limites.
- ☆ **Pele**: Eu expresso minhas emoções e sentimentos.

★ ★ ★ ★ ★ ★ ★ ★ ★ ★ ★ ★ ★ ★ ★ ★

☆ **Pelos**: Faço minhas escolhas gentilmente.

☆ **Pelve**: Todo o meu mundo aceita apoio.

☆ **Pernas**: Minha capacidade de me movimentar para a frente é ilimitada.

☆ **Pés**: Eu me movimento na direção do progresso com entendimento.

☆ **Pescoço**: Eu comunico minha expressão criativa.

☆ **Próstata**: Meus poderes masculinos são potentes.

☆ **Psoríase**: Eu expresso minhas opiniões.

☆ **Pulmões**: Sou inspirado pela vida e pelo amor.

☆ **Pulso**: Sou flexível com meu trabalho e com meu objetivo.

☆ **Quadris**: Meus ajustes criam um autossuporte.

☆ **Reto**: Eu jogo meu lixo de maneira prática.

☆ **Reumatismo**: Mentalmente, eu me movimento facilmente.

☆ **Rim**: Eu processo as críticas para poder crescer.

☆ **Rugas**: Eu expresso minha beleza atemporal com alegria.

☆ **Seio**: Eu nutro meus desejos amorosamente e com força.

☆ **Seios da face**: Eu libero minha autoexpressão gentilmente.

☆ **Sangramento**: Meu entendimento é permanente.

☆ **Sangue**: Eu aceito que o fluxo da vida passe por mim.

☆ **Tendões**: Meu fluxo de energia é suave e gracioso.

☆ **Timo**: Compreendo e aceito minha maturidade.

☆ **Tireóide**: Eu uso minha vontade de maneira vital.

☆ **Tumor**: Todo ódio se transforma em amor dentro de mim.

☆ **Tumores**: Dissolvo meus conflitos incondicionalmente.

☆ **Úlceras**: Eu permaneço no PRESENTE.

☆ **Unha encravada**: Tenho uma perspectiva adequada da vida.

☆ **Unhas**: A Origem protege meu fluxo de energia.

☆ **Útero**: Eu nutro meu papel feminino.

☆ **Válvula ileocecal**: Tudo o que é novo soma-se à minha experiência.

☆ **Veias varicosas**: Meu fluxo de amor é constante.

★ ★ ★ ★ ★ ★ ★ ★ ★ ★ ★ ★ ★ ★ ★

☆ **Verruga plantar**: Eu tomo decisões prontamente.

☆ **Vesícula**: Eu respeito o estado do meu corpo.

☆ **Vesícula biliar**: Eu gentilmente processo todas as energias.

☆ **Vias urinárias**: Toda culpa transforma-se em perdão dentro de mim.

☆ **Virilha**: Minha privacidade está íntegra e intacta.

☆ **Vísceras**: Eu mudo meu pensamento e mantenho as ações fluindo.

☆ **Vômitos**: Eu assimilo minhas experiências em ordem, facilmente.

☆ **Zumbidos**: Eu escuto os pensamentos do ser.

Glossário

A

Acupressão: Uma técnica de cura que envolve a estimulação superficial de vários pontos de acupuntura do sistema chinês de meridianos e de canais específicos de energia que passam pelo corpo. Esses pontos são energeticamente estimulados, manualmente ou com ferramentas.

Acupuntura: Este sistema antigo de medicina chinesa ressurgiu, recentemente, na China e está se tornando popular no Ocidente. A acupuntura concentra-se no equilíbrio das energias *yin* e *yang*. Ela ajuda a regular o fluxo de *chi* (energia sutil) ao longo do sistema de meridianos; e quando a chi está equilibrada, a saúde do corpo humano é restaurada e a doença, eliminada ou controlada. Durante a acupuntura, o praticante insere pequenas agulhas em pontos-chave de pressão ao longo do sistema de meridianos, por períodos de tempo variáveis, para estabelecer um fluxo apropriado nos meridianos. A acupuntura é utilizada em cirurgias como substituto da anestesia. Veja *Chi*, *Meridiano*, *Yin* e *Yang*.

Afinação: Alinhar o indivíduo na energia natural do ambiente, para que ele esteja de acordo com as leis naturais.

Alma: Essência imortal de todos os seres.

Alma Antiga: Alguém que já reencarnou várias vezes.

Alquimia: A química da Idade Média, que se concentra em transformar os Elementos básicos em ouro. Metaforicamente, ela se refere à transformação espiritual.

Amuleto: Um objeto carregado de energias pessoais, por meio de um ritual ou meditação, usado para proteger ou repelir uma determinada força ou pessoa. Veja *Magia Inferior*.

Anjos: Seres espirituais retratados principalmente nas teologias persa, judaica, cristã e islâmica. Esses seres são tipicamente ilustrados com asas e retratados como mensageiros de Deus. Eles podem agir como guias espirituais para as pessoas, no entanto, os Anjos não podem intervir de acordo com sua vontade; o indivíduo precisa pedir a ajuda deles. Veja *Guia*.

Animal de Poder: Um espírito animal que age como guia e protetor de uma pessoa. Veja *Guia*.

Aromaterapia: Um tipo de medicina herbácea que usa os óleos essenciais de plantas, flores, ervas e árvores para promover a saúde, a vitalidade e o rejuvenescimento do corpo, da mente e do espírito. Veja *Óleos Essenciais*.

Arredondamento: O arredondamento é o método de cortar as pontas do campo conforme a cura progride. À medida que mais energias são removidas do corpo do curado, elas tendem a se agarrar nos cantos do campo, principalmente quando se movimentam rapidamente.

Asserção: Asserções são mentiras que você conta a si mesmo até que se tornem verdades. São frases positivas — sejam elas faladas, escritas ou pensadas, com resultados e intenções — que ajudam a mente a se concentrar naquilo que o indivíduo quer que se realize. O processo de repetir asserções pode facilitar a manifestação dos resultados e intenções faltantes ou desejados na vida de uma pessoa.

Assustado: Cheio de medo ou apreensão, cheio de preocupações ou arrependimentos com relação a uma situação não desejada, ou desgosto por alguma coisa. Veja *Medo*.

Atenção: O foco da energia. A energia flui para onde vai a atenção (e a intenção).

Aura: Esta é uma essência ou fluido sutil, "invisível", que emana de todas as coisas, viventes ou não. É um campo eletromagnético que cria uma área de força composta de uma complexa combinação de ingredientes, incluindo átomos, moléculas e células de energia. Enquanto coexistem, esses ingredientes geram um grande campo de energia magnética que pode ser sentido e até mesmo visto ao redor do corpo físico. A aura é a parte de nossa alma que está do lado de fora de nosso corpo. Veja *Energia Endomórfica* e *Alma*.

Autorização: Declaração, de um indivíduo, de poder pessoal; energia e força em todos os campos: espiritual, físico, mental e mágico.

Ayurveda: Esta antiga ciência de cura médica/metafísica hindu é baseada na harmonia do corpo, da mente e do Universo, por meio de dieta, exercícios, ervas e procedimentos de purificação. Ela enfatiza a capacidade do indivíduo de se autocurar utilizando remédios naturais para recuperar o equilíbrio. Supostamente, a Ayurveda é o mais completo sistema de medicina natural e a mãe de todas as artes de cura. Também é conhecida como *medicina indiana antiga* ou *medicina védica*.

B

Baixa: Parte da onda de cura em que a energia da Origem parece diminuir. Todos os sistemas corporais e energéticos estão integrando a energia. Nesse ponto, é importante que o curandeiro deixe que o processo de integração aconteça; esse não é o momento de empurrar as energias ou de se abrir mais para a Origem. É um ótimo momento para limpar a energia do campo, pois, nesse momento, a Origem está eliminando a energia usada. Veja *Pico* e *Onda de Energia*.

Bardo: A realidade pós-morte por meio da qual viajamos conforme processamos a revisão de nossa vida, confrontamos situações emocionais e inacabadas para ver se nos libertamos o suficiente das sementes do carma, livrando-nos de sua influência. Veja *Carma*.

Bilocar: Estar em dois ou mais lugares ao mesmo tempo com a utilização das técnicas das consciências superiores. Ao mesmo tempo em que o corpo físico está em um lugar, o corpo espiritual exteriorizado está presente em um local distante.

***Biofeedback*:** Uma técnica aprendida para controlar, conscientemente, os processos biológicos. As ondas cerebrais amplificadas são monitoradas por um aparelho eletrônico que transmite informações para o praticante, ajudando a treinar o curado a criar reações diferentes.

Biorritmo: A ciência que estuda as mudanças nos estados emocional, mental, físico e espiritual de uma pessoa baseando-se em ciclos de 23, 28 e 33 dias, que são calculados a partir da data de nascimento.

Botão: Uma questão pessoal que dispara uma reação forte. Veja *Questão Central*.

Busca da Visão: Busca espiritual dos nativos americanos caracterizada pela solidão, jejum e sonhos.

C

Caminhar sobre o Fogo: Um ritual de autorização que envolve o poder da mente sobre a matéria. Os participantes caminham descalços sobre carvão em brasa sem se queimar, expandindo, assim, o conceito de suas capacidades e fortalecendo sua conexão com a Origem.

Campo de Cura: Energias combinadas de todas as forças, as pessoas presentes e as energias do plano físico, do espaço ou do prédio, na situação de cura. O aspecto mais importante deste campo é a integridade. Veja *Integridade*.

Canalização: Um processo utilizado, geralmente, pelos canais psíquico e curativo para receber energia ou informações de um espírito ou entidade. A diferença entre um médium e um canal é que um médium acessa os planos emocional e astral para obter essas informações, sendo que as informações obtidas neste plano podem ser confusas. Um canal acessa um nível mais elevado de informações. Veja *Médium*.

Capacitador: Uma pessoa que permite que as outras continuem seus padrões improdutivos de comportamento. Veja *Co-dependente* e *Triângulo do Drama*.

Carga: Energia que dispara uma reação emocional, geralmente por causa de uma questão não resolvida. Veja *Emoções* e *Questão Central*.

Carma: Originado do Hinduísmo e do Budismo, o carma é a soma e as consequências de uma pessoa em qualquer ponto da vida. É um relato registrado de todo bem, mal e indiferença que seguem uma entidade e determinam o destino da alma nas reencarnações futuras. O carma é a lei natural de causa e efeito, e cria-se constantemente.

Carismático: Um dos cinco sentidos leves. Esse sentido leve vive nos informando que há mais a saber e a fazer em uma situação. Ele nos mantém fascinados no processo de cura e interessados até mesmo nos momentos mais chatos. A energia carismática nos permite saber que há uma resposta. Em geral, o curado muda sua vida após algumas palavras de um curandeiro carismático. Veja *Elétrico*, *Eletromagnético*, *Magnético* e *Presença*.

Centralização: Permanecer no centro das energias e da força. Veja *Conexão*.

Chacra: Um chacra é um portal que afunila a energia eletromagnética para dentro e para fora do corpo. Ele é identificado por um vórtice espiral que vibra em uma frequência específica. Existem sete chacras principais localizados no tronco, começando na área da virilha e se estendendo até o topo da cabeça. Outros cinco de vibração muito mais elevada existem nas extremidades e no campo da aura. Ao contrário dos chacras principais, nem todos esses chacras mais elevados giram na mesma direção. Cada um dos sete chacras principais está estrategicamente localizado para nutrir e regular órgãos vitais e áreas específicas do corpo. Cada um deles serve para estabilizar estados emocionais e psicológicos específicos. Cada chacra canaliza uma qualidade específica de energia, que pode ser identificada por sua cor e sua vibração. Os sete são compostos pelo espectro natural de cores do arco-íris — vermelho, laranja, amarelo, verde, azul, roxo e branco. Além disso, a vibração de cada chacra tem um alcance específico, comparável à escala musical de notas, Dó a Si. Veja *Sistema de Sete Chacras* e *Sistema de 12 Chacras*.

Chacra Base: O primeiro centro de energia, localizado na base da coluna. Este chacra é o centro da sobrevivência e é responsável pela nossa sobrevivência no plano físico, bem como pela nossa saúde física e vitalidade. Ele é associado à cor vermelha e ao tom musical Mi. Veja *Chacra*, *Sistema de Sete Chacras* e *Sistema de 12 Chacras*.

Chacra da Coroa: O sétimo centro de energia, localizado no topo da cabeça. Usamos o chacra da coroa como ferramenta para nos comunicar com nossa natureza espiritual. É por esse vórtice que a força da vida é dispersa do Universo para os outros seis chacras. O chacra da coroa está associado à cor violeta ou branca e à nota musical Ré. Veja *Chacra*, *Sistema de Sete Chacras* e *Sistema de 12 Chacras*.

Chacras da Mão: Chacras centralizados nas palmas das mãos. Em geral, ao empregar as técnicas de cura com as mãos, a energia curativa movimenta-se através dos chacras das mãos do curandeiro para o curado. Veja *Chacra*.

Chacra da Raiz: O primeiro centro de energia, localizado na base da coluna; também conhecido como chacra *base*. Associado à sobrevivência e à força vital. Sua cor é o vermelho e está associado à nota musical Dó. Veja *Chacra*, *Sistema de Sete Chacras* e *Sistema de 12 Chacras*.

Chacra **da Garganta:** Quinto centro de energia, localizado na garganta e associado à comunicação. Sua cor é o azul e está associado à nota musical Sol. Veja Chacra, *Sistema de Sete* Chacras e *Sistema de 12 Chacras*.

Chacra do Coração: Os quatro centros de energia, localizado entre os três chacras mais baixos e os três chacras mais altos. Esse chacra é o centro do amor e atua como uma ponte entre o físico e o espiritual. Ele é associado à cor verde e à nota musical Lá. Veja *Chacra*, *Sistema de Sete Chacras* e *Sistema de 12 Chacras*.

Chacras do Pé: São os chacras localizados nas plantas dos pés, utilizados para a conexão e para movimentar as energias curativas da Origem ou da Terra. Veja *Chacra* e *Conexão com a Terra*.

Chacra do Plexo Solar: Terceiro centro de energia, localizado na região da barriga. Associado ao poder, à intuição e à claridade. Sua cor é o amarelo e ele é associado à nota musical Mi. Veja *Chacra*, *Sistema de Sete Chacras* e *Sistema de 12 Chacras*.

Chacra do Terceiro Olho: Também conhecido como *sexto* chacra, ou chacra *da sobrancelha*, ele está localizado a aproximadamente dois centímetros acima das sobrancelhas, no meio delas. O chacra do terceiro olho lida com nossa sabedoria, espiritualidade e ciência psíquica. Sua cor é a violeta ou o índigo. Está associado à nota musical Lá. Veja *Chacra*, *Sistema de Sete Chacras* e *Sistema de 12 Chacras*.

Chacra Sacral: Segundo centro de energia, localizado na região abdominal. Associado à criação e à co-criação (e ao sexo). Também é chamado de chacra *sexual*. Sua cor é o laranja e está associado à nota musical Ré. Veja *Chacra*, *Sistema de Sete Chacras* e *Sistema de 12 Chacras*.

Chi: (chinês) Energia universal da vida. Veja *Acupuntura*.

Ciência: Estudo sistemático, com utilização de instrumentos, de como as energias dos planos físico e material funcionam. Muitas descobertas científicas recentes sobre a cura e a física quântica já eram conhecidas pelos xamãs e pelos mestres há milhares de anos.

Cinesiologia: Teste muscular no qual a pessoa segura a substância em questão enquanto as respostas de sua resistência muscular são testadas.

Cinestésico: Modalidade por meio da qual uma pessoa sente energias pelas sensações, e não pelos dos sentidos da visão, audição, olfato e paladar. Veja *Sensitivo*.

Clariaudição: Dados extra-sensoriais são recebidos dos planos emocional e astral por este sentido auditivo leve e percebidos como sons.

Clarisciência: Dados extra-sensoriais são recebidos dos planos emocional e astral por este sentido leve empático e percebidos, em geral, como sensações físicas.

Clarividência: O sentido leve que envolve a capacidade paranormal de ver informações psíquicas, incluindo acontecimentos históricos ou futuros ou outros fenômenos que não podem ser diferenciados naturalmente pelos cinco sentidos materiais.

★ ★ ★ ★ ★ ★ ★ ★ ★ ★ ★ ★ ★ ★ ★ ★ ★ ★

Co-dependente: As pessoas co-dependentes possuem limites não saudáveis. Elas têm mais probabilidade de se envolver em relacionamentos com pessoas que sejam, talvez, não confiáveis, emocionalmente indisponíveis ou necessitadas. A pessoa co-dependente tenta oferecer e controlar tudo em um relacionamento sem levar em conta suas próprias necessidades ou desejos, e essas ações criam um ambiente cheio de frustração contínua e sentimentos de que algo está faltando. Mesmo quando uma pessoa co-dependente encontra alguém com limites saudáveis, ela ainda operará em seu próprio sistema; no entanto, ela tem menos probabilidade de se envolver profundamente com pessoas com limites saudáveis. Isto resulta na criação condicional de problemas reciclados. Se as pessoas co-dependentes não se curam, é improvável que elas se envolvam com pessoas de comportamento saudável e de habilidades de convivência, e seus problemas continuarão em cada novo relacionamento. Veja *Triângulo do Drama*, *Opressor*, *Salvador* e *Vítima*.

Comunicação: Troca de pensamentos, mensagens ou informações por meio da fala, sinais, escrita ou comportamento. Também envolve as transmissões energéticas, percebidas pela mente subconsciente.

Conclusão: Processo de completar uma cura. A conclusão é o reconhecimento do momento em que o curado não pode lidar com mais energia, ou quando a energia da Origem se transformou na energia do curado. Este é um processo simples e direto quando se presta muita atenção ao curado.

Condutor: Um canal para que a energia seja transmitida de um lugar para outro. O curandeiro funciona como um condutor da energia da Origem para o curado.

Conexão com a Terra: Processo de ficar com os pés no chão (e, acima de tudo, com os chacras das plantas dos pés abertos) para que as energias possam fluir *para dentro* do pé esquerdo e *sair* pelo direito. Em uma cura, a conexão com a terra é a conexão consciente com a terra, que envolve o processo de estar em contato com o físico, para que as energias da doença do curado possam passar pelo curandeiro e ir para a terra, que está mais próxima da vibração do curado do que a Origem. A terra, por sua vez, absorve as energias usadas e transforma-as em energias novas. Veja *Centralização* e *Chacras do Pé*.

Confiança: Confiança é igual a "nós verdadeiros". É o reconhecimento claro daquilo que você ou outra pessoa será ou fará e não será ou não fará. A confiança é o conhecimento baseado nas experiências passadas com alguém, que nos leva a sermos confiantes (ou não) nas capacidades ou nas intenções de outras pessoas ou de nós mesmos.

Nas curas, é essencial que o curandeiro confie em todos os processos que atuam na sessão de cura.

Confusão: A confusão assume duas formas diferentes: mental e física. A confusão mental é composta de pensamentos que passam sempre pela mente. A confusão física pode ser encontrada na cozinha, nos armários, no quarto, em depósitos, na sala, no banheiro, no escritório, em calendários ou nas agendas de uma pessoa. A confusão física pode somar-se à confusão mental, em virtude da lembrança constante de que há coisas a serem feitas. A ação de limpar a confusão física diminui nossa confusão mental. Veja *Desconfundir*. Uma batalha interna entre dois sistemas de crença profundamente enraizados. A confusão é o passo anterior ao esclarecimento.

Consciência: Ciência — o estado mental, os sentidos e a ciência física que permitem que uma pessoa conheça sua existência, sensibilidades e relacionamento com o ambiente. A ideia mais importante sobre a natureza da consciência é que toda consciência individual é, simultaneamente, coletiva. Existe uma consciência no Cosmos: a consciência cósmica total de que cada ser possui uma parte intransferível. Esta é uma junção da consciência de todas as mônadas do Cosmos.

Consciência Cósmica: A consciência combinada de todos os seres sensitivos e não sensitivos do Cosmos. Através da mente subconsciente, qualquer ser pode entrar nessa consciência pelo objetivo de reunir informações ou de se relacionar com outras energias.

Consciência de Cristo: Um termo que a tradição cristã utiliza para o conhecimento intuitivo ou para a realização ou chegada à consciência superior. Refere-se ao nível puro de consciência no qual a mente, o amor e a vontade de Deus são abertos para a pessoa iluminada. Essa consciência é caracterizada pela cor dourada. Veja *Esclarecimento*.

Conselhos: Grupos de seres de luz não-físicos que têm por objetivo guiar a evolução da consciência cósmica.

Cordão de Prata: O cordão da consciência, invisível na realidade física, que nos permite deixar o corpo físico e, no entanto, permanecer conectados a ele enquanto fazemos uma viagem ou projeção astral. Esse cordão é parecido com o cordão umbilical e está ligado ao plexo solar, ao coração ou ao topo da cabeça. Quando morremos, ele é cortado para que possamos passar para o outro lado.

Corpo Astral: Um corpo sutil criado à imagem do corpo físico, que viaja, trabalha e brinca no plano astral. Veja *Corpos Sutis*.

Corpo Emocional: É o corpo que contém as emoções não resolvidas e as correntes de força que aguardam expressão.

Corpos Sutis: Camadas do campo da aura que contêm informações valiosas sobre a saúde e o bem-estar do indivíduo.

Crise de Cura: Durante a fase inicial da cura, quando o corpo começa a ser limpo (desintoxicação) e a energia vital começa a reparar e a reconstruir os órgãos internos, os curados podem ter dores de cabeça, sintomas de gripe e fadiga. É importante que eles descansem nesse momento. Esses sintomas desaparecerão conforme os corpos se acostumarem a um novo nível de energia. *O curado pode sentir-se pior antes de se sentir melhor.* O curado, eventualmente, alcançará uma saúde melhor. Durante a crise de cura, é importante não suprimir esses sintomas temporários com drogas, o que pode interromper o processo de cura.

Cura a Distância: Veja *Cura Ausente*.

Cura Atômica: A cura no nível em que a estrutura atômica do ser de uma pessoa é mudada ou transformada.

Cura Ausente: Este processo de cura envolve a projeção de energia curativa pelo curandeiro através do espaço e do tempo, e é direcionado a uma pessoa ou grupo que não está fisicamente presente na sala com o curandeiro. Também conhecida como *cura à distância* ou *cura remota*. Veja *Projeção*.

Cura Celular: Concentração específica da energia curativa nas células de um órgão, sistema ou fluido corporal. A cura celular funciona com a lei universal "assim na Terra como no Céu". Na lógica metafísica, se as células estão curadas, o órgão ou o sistema também estarão.

Cura do DNA: Cura e substituição de padrões indesejados e de doenças de DNA por meio da modificação da energia do DNA.

Cura Passada: A cura de algo no passado de uma pessoa.

Cura Remota: Veja *Cura Ausente*.

Curado: A pessoa ou animal para quem o curandeiro direciona as energias da Origem.

Curandeiro: Pessoa ou coisa que serve como condutor das energias curativas da Origem para um curado. Refere-se também à pessoa que cura; um curandeiro de uma tradição xamânica mexicana específica.

D

Deixando Acontecer: Processo de entregar o controle a um poder superior; um processo de liberar energias ou padrões antigos, usados, que não nos servem mais.

Des-confundir: Limpar nosso espaço e nossas mentes das coisas que não nos servem mais. Veja *Confusão*.

Desidratação: A água conduz energia; então, quando o curandeiro ou o curado não tem a quantidade adequada de água no corpo, a energia não flui com tanta facilidade. Veja *Hidratação* e *Elemento Água*.

Deus Interior: A voz interior da pessoa; o ser superior.

Deva: No Hinduísmo e no Budismo, devas são seres exaltados de vários tipos. Em sânscrito, a palavra *deva* significa "iluminado". O Hinduísmo reconhece três tipos de devas: mortais que vivem em um plano mais elevado que os outros mortais; pessoas iluminadas que perceberam a existência de Deus; e Brahman, na forma de um Deus pessoal. No Budismo, devas são deuses que vivem nos diversos planos do paraíso como recompensa por suas boas ações; eles ainda estão sujeitos à reencarnação.

Dimensões: Um meio de organizar diferentes planos de existência, de acordo com sua vibração. Cada dimensão tem determinados conjuntos de leis e princípios específicos da frequência daquela dimensão. Existem 144 dimensões nas tradições dos Curandeiros.

Direção Leste: Uma das quatro direções. Um lugar onde a paz, a luz e a vida nova surgem a cada dia. As pessoas com afinidade com o Leste são, geralmente, intelectuais por natureza. O Leste é a direção do sangue e do nascimento. Veja *Quatro Direções, Direção Norte, Direção Sul* e *Direção Oeste*.

Direção Norte: Uma das Quatro Direções. Um local de sabedoria. As pessoas com afinidade com o Norte são muito sensatas e tendem à estabilidade. Associada à Terra. Veja *Direção Leste, Quatro Direções, Direção Oeste* e *Direção Sul*.

Direção Oeste: Uma das quatro direções. É o lugar onde a chuva tem origem e representa o fim, ou a finalidade, pois as coisas feitas no escuro são as coisas finais. As pessoas que têm afinidade com o Oeste podem tornar-se *heyoka*, que significa "palhaço sagrado", aquele que faz tudo de trás para a frente, ou de modo contrário. A águia careca é associada a essa direção. Veja *Direção Leste, Quatro Direções, Direção Norte* e *Direção Sul*.

Direção Sul: Uma das quatro direções. Ela significa o ápice da vida, o calor, o entendimento e a capacidade. As pessoas que têm afinidade com esta direção incorporam determinadas características, como inocência, fé e confiança. Veja *Direções Leste*, *Norte*, *Oeste* e *Quatro Direções*.

Distinção: O momento da distinção vem depois que as perguntas certas são feitas, em seguida, transforma-se em observador da dinâmica das energias que funcionam na situação. Em geral, as palavras comuns que usamos no dia-a-dia podem perder seu significado. Por exemplo: fazer uma distinção entre a utilização da palavra *emoções* (que existe no passado) e a utilização da palavra *sentimentos* (que existe no presente) pode ajudá-lo a determinar se você está trabalhando no passado ou no presente.

Dívida Cármica: O acúmulo de negação no carma de uma pessoa em um determinado momento e que afeta o caminho da vida.

Doença: A doença é o estado de não estar confortável e de não estar alinhado. A doença, em geral, envolve uma questão central, uma crença ou um padrão que afeta o corpo físico. Quando a questão central é solucionada, a doença, em geral, dissipa-se. Veja *Doença Aguda* e *Doença Crônica*.

Doença Aguda: Uma doença de ataque súbito e, geralmente, de curta duração. Veja *Doença Crônica*, *Doença* e *Crise de Cura*.

Doença Crônica: Uma doença que persiste por um longo período de tempo (três meses ou mais). Veja *Doença Aguda* e *Doença*.

Domínio Dimensional: Os curandeiros trabalham com 144 dimensões. O domínio dimensional refere-se à capacidade de trabalhar nessas dimensões e navegar no *continuum* de espaço e tempo, abrindo mão das leis do plano físico durante o processo. Ao dominar as dimensões, é possível atravessar paredes, andar sobre a água, levitar e teletransportar-se. Veja *Plano Físico*.

Download: Transmissão de energia e informações.

E

Ectoplasma: Substância proveniente de corpos específicos, animais e plantas, que viaja pelo éter e mostra emoções.

Ego: Ser; o sentimento do eu, meu. É a própria consciência do homem. A filosofia esotérica prega a existência de dois Egos no homem: o mortal, ou pessoal; e o superior, o Divino, ou impessoal (chamando-se o primeiro de "personalidade" e o segundo de "individualidade"). Veja *Consciência* e *Personalidade*.

Elemento Água: A Água é um Elemento que flui. Durante uma cura, a Água tende a fluir para limpar e preencher todas as áreas onde encontrar acesso. A Água pode transportar a maioria da energia graças à sua capacidade de conduzi-la. Recomenda-se utilizar pequenas quantidades de energia da Água, pois é fácil controlá-la e usá-la de maneira revitalizante. Os efeitos colaterais do trabalho com esta energia incluem nariz escorrendo, choro, micção excessiva ou vômitos. Veja *Elemento Ar*, *Elemento Terra*, *Elemento Fogo* e *Elemento Curativo*.

Elemento Ar: Este é o Elemento mais rápido, suave e fácil para o curandeiro usar. É bom para curandeiros iniciantes. O Ar sabe como passar pela menor das aberturas. Ele parece carregar a vitalidade e permite que as funções curativas naturais do corpo sejam ativadas. A energia usada é absorvida pelo Ar e rapidamente eliminada do sistema energético. Os corpos sutis mais inferiores também usam o Ar para remover as energias não-vitalizantes. Os principais efeitos colaterais da utilização do Ar para conduzir a energia da Origem por meio de um curandeiro são que o curandeiro ou o curado pode arrotar, bocejar, espirrar ou ter flatulências frequentes. Veja os *Elementos Terra*, *Fogo* e *Água*.

Elemento Fogo: O Elemento do Fogo é um dos elementos mais rápidos usados na cura. O desafio com o Fogo é que, uma vez que a energia esteja fluindo, pode ser difícil fazer com que ela pare, pois o Fogo tende a consumir tudo o que está em seu caminho. Quando o Fogo está sendo usado, existe uma tendência de o curandeiro ou o curado ficar quente. Veja os *Elementos Ar*, *Terra*, *Curativo* e *Água*.

Elemento Terra: O Elemento mais estável e conectado dos Quatro Elementos. Basicamente, a Terra é composta de energia presencial, embora todas as energias de luz estejam presentes nos diferentes minerais da terra. Quando um curandeiro usa a energia da Terra, consciente ou inconscientemente, ele toma a doença para si e a elimina do campo do curado. Veja *Elementos Ar*, *Fogo*, *Cura* e *Água*.

Elétrico: Um dos cinco sentidos leves. Este é o sentido leve que parece ser excepcionalmente prestativo. Similar à eletricidade, ele tem uma carga. Os curandeiros elétricos parecem estar ocupados produzindo e adicionando energias de todas as formas. Este sentido é responsável pelo arrepio nos pelos de nossos braços. Quando alguém nos toca e pulamos, é a energia elétrica em ação. Veja *Carismático*, *Eletromagnético*, *Magnético* e *Presença*.

Eletromagnético: Um dos cinco sentidos leves. É o sentido que avalia o fluxo de energia do curado. Esta energia é muito poderosa, pois, conforme as necessidades do curado mudam, muda também a energia eletromagnética. Em geral, ela pode ser realmente equilibrada, enquanto há momentos em que a porcentagem de energia elétrica e magnética pode mudar significativamente, dependendo do que vem da Origem. Veja *Carismático*, *Elétrico*, *Magnético* e *Presença*.

Elohim: "Aqueles que vieram do céu." Este grupo de seres é um dos mais avançados grupos de seres da luz do Universo. Eles são responsáveis pela geração da vida neste planeta e pela criação dos seres humanos. Os Elohim são envolvidos com a Terra desde que o primeiro humano foi criado, em uma espécie de experimento de manipulação genética. Ao longo da história, os Elohim vieram para a Terra em momentos distintos em diferentes culturas e influenciaram muitas delas ao longo da história. Pensava-se que eram Deuses e espíritos de muitas das grandes e pequenas religiões que existem até hoje. Os Elohim influenciaram muito essas religiões, fornecendo uma estrutura moral para ajudar as pessoas desta Terra a sobreviverem de maneira bem-sucedida e viável. Portanto, quando essa estrutura deixou de funcionar, a religião tornou-se uma ferramenta de influência política para ajudar a estabelecer e manter o controle da população. Até hoje, os Elohim estão envolvidos nas questões da Terra.

Emanação: É a utilização da intenção (pensamento) para enviar energia que será recebida por alguém ou algo que está fora de nós.

Emoções: Energia em movimento. As emoções são sentimentos que existem no passado.

Empatia: Projeção de personalidades em outro ser, para que haja uma mutualidade na experiência dos entendimentos, sentimentos e pensamentos. Uma pessoa sensível aos sentimentos e pensamentos de outra é uma *empática*. Os empáticos, em geral, sentem as sensações físicas e as emoções da outra pessoa.

Encerramento: Selamento da energia curativa no final de uma sessão. Veja *Conclusão*.

Energia Endomórfica: Energia emitida do corpo para a aura e para os chacras. Essa energia engloba o espaço definido onde as vibrações eletromagnéticas, físicas, astrais, etéricas, mentais, emocionais e outras vibrações da aura existem nos seres sensitivos.

Fotos contêm energia endomórfica do ser que aparece nelas. Os ensinamentos adquiridos surgem através da energia Endomórfica. Veja *Aura* e *Chacras*.

Energia Etérica: Nossa sopa energética. É uma mistura pessoal de emoções, intenções e medos que existem no primeiro corpo sutil. A energia etérica é a energia positiva ou negativa emitida pelo corpo de uma pessoa e mistura-se ao líquido da próxima pessoa encontrada que, por sua vez, se mistura ao líquido de outra pessoa e assim por diante. Veja *Aura*.

Endoplasma: O endoplasma é a cobertura física externa do ectoplasma. A forma coletiva do microcosmo ou consciência da unidade, com sua cobertura do endoplasma, movimenta a sociedade como parte da consciência coletiva. Este movimento pode ser citado como "psicologia coletiva". O endoplasma também garante que o ectoplasma mantenha a forma psíquica necessária para que a mente não se dissipe e as tendências mentais tenham uma oportunidade de se expressar no mundo material/mais bruto. Veja *Consciência*.

Energia de Quelação: O processo de um curandeiro movimentando a energia de maneira que ela fique indo e vindo de suas mãos.

Ensinamento Adquirido: Informações provenientes da aura de outra pessoa e recebidas pela mente subconsciente/inconsciente. A mente subconsciente é capaz de processar 10 mil bits de informação por segundo. Veja *Iniciação* e *Ensinamento Transmitido*.

Ensinamento Transmitido: Informações ensinadas formalmente (de maneira falada ou escrita) por um professor a um aluno e recebidas pela mente consciente. Veja *Ensinamento Adquirido*.

Entidades: Desencarnados ou seres espirituais sem corpos físicos, que podem ser vistos ou reconhecidos por algumas pessoas e são invisíveis para outras. Eles continuam vivendo entre encarnações físicas. Em geral, são seres que, após a morte, não fazem a passagem; eles continuam a existir na forma do espírito. Pode-se notar uma visita e contato entre planos; sua presença pode ser positiva ou negativa. Veja *Ser Desencarnado*.

Esclarecimento: Estar em um estado de onisciência, conhecimento não qualificado. Este é o estado em que se vive fora das emoções e dentro da alegria. Este estado envolve a consciência universal total, em que a mente está cheia de luz.

Esotérico: Compreendido por ou direcionado a poucos escolhidos (por exemplo, um grupo interno de discípulos ou iniciados). Pertencente a algo que está além do entendimento ou do conhecimento de uma pessoa comum.

Espaço de Cura: A área onde a cura está acontecendo. Inclui a energia presente do prédio, do proprietário e dos acontecimentos passados que ocorreram no local.

Espaço Sagrado: Esperanza, a professora Curandeira de Starr Fuentes, ensinou que o "Espaço Sagrado é proporcional à quantidade exata de espaço limpo, de chão vazio, vezes a largura que um curandeiro pode alcançar". O que torna um espaço sagrado para nós, em geral, está ligado ao nosso senso de identidade. Sabendo que "milagres acontecem aqui", temos uma sensação de tocar o tempo que está além de nós e, ao fazer isso, evoluímos e despertamos para um paradigma maior. O Espaço Sagrado envolve saber onde estamos, quem somos, quem fomos e quem podemos ser. Conhecemos a Origem por muitos nomes — Jesus, Buda, e assim por diante; no entanto, este é o local original onde obtivemos um significado mais profundo da Origem e aumentamos nosso nível de participação, que se abre para o local do rito espiritual de passagem. O Espaço Sagrado é onde experimentamos a Origem concreta na forma de manifestações. É um lugar onde ficamos frente a frente com nosso próprio poder espiritual. O Espaço Sagrado é um lugar seguro para nos concentrarmos no lado espiritual.

Essências Florais: Uma técnica que usa extratos de flores em proporções homeopáticas como catalisadores da cura. Cada preparo líquido contém a marca energética de uma planta específica, afetando a aura e trabalhando nas causas principais de uma doença.

Essência Primária: Qualidades primárias como felicidade, sabedoria, confiança, riqueza, verdade, luz, paz, valor e assim por diante. Utilizada para fechar um curado no final de uma sessão. Os curandeiros devem fazer uma escolha cuidadosa ao fechar alguém com uma essência. A essência deve estar alinhada com o caminho da pessoa e não é, necessariamente, o que a pessoa quer, mas sim o que ela precisa. Veja *Encerramento* e *Essência Secundária*.

Essência Secundária: Qualidades secundárias terminadas em *ento*. Preencher uma pessoa com entendimento é um limitador. Preencha-a com sabedoria, uma essência primária. Veja *Encerramento*, *Preenchimento* e *Essência Primária*.

Ética: Código ou filosofia que desenvolvemos e adotamos, que protege a integridade pessoal e leva à paz de espírito, estabelecendo a harmonia entre o interior e o exterior. Veja *Integridade*.

EU SOU: A conexão sagrada do homem com o Deus que habita seu interior; também é uma asserção particular para invocar essa consciência Divina (Origem: "tudo o que é, foi e será").

F

Feng Shui: Arte chinesa antiga que orienta objetos, construções e cidades para promover um fluxo saudável de chi. Todas as áreas, grandes e pequenas, têm uma energia específica que pode ser melhorada com uma nova disposição dos objetos (por exemplo: remover um enfeite de um apartamento ou adicionar um objeto específico em um canto determinado de uma sala). Veja *Chi*.

Física Quântica: A física quântica foi desenvolvida, principalmente, no século XX; ela lida com as propriedades microscópicas — a carga, a massa, a força das partículas elementares e assim por diante. A física quântica é exclusiva, pois leva em consideração a interferência da mente do cientista ou do pesquisador naquilo que está sendo observado. Portanto, a ideia da ciência tradicional ser objetiva é questionável e as leis da física material pura podem não ser muito úteis à ciência, pois a mente do observador pode afetar os experimentos científicos.

Força: Poder energético que flui da Origem.

Força da Vida: Veja *Prana*.

Forma-Pensamento: Quando uma pessoa pensa, uma parte de seu envelope mental é ejetada para o mundo mental ao redor, onde imediatamente assume uma forma determinada pelo conteúdo e pela qualidade do pensamento. Veja *Manifestação*.

G

Geometria Sagrada: É o estudo da estrutura geométrica invisível de toda matéria. Tudo na existência tem uma estrutura geométrica invisível que dá a forma ao objeto no mundo natural.

Glândula Pineal: Uma pequena glândula localizada entre os hemisférios do cérebro que secreta melatonina.

Gratidão: Uma atitude de reconhecimento. A gratidão apoia-se na energia curativa e na mágica.

Guia: Um membro do grupo espiritual de um indivíduo que assume os papéis de proteger, guiar e influenciar a vida diária e o destino, auxiliando na criação e no entendimento das verdades espirituais. Veja *Animal de Poder*.

Guias Espirituais: Os guias espirituais são as entidades físicas e não-físicas que escolheram ajudar outras pessoas no caminho do esclarecimento espiritual. Esses seres de luz podem aparecer fisicamente na forma humanóide para que a mente os conceitualize. A maioria dos guias espirituais encarnou no plano físico da Terra, bem como em outros planos. Veja *Guia* e *Animal de Poder*.

H

Hidratação: A água conduz energia. Nossos corpos são compostos, em sua maioria, por água. Portanto, é importante que o curandeiro e o curado bebam bastante água antes e depois de uma cura. Veja *Desidratação* e *Elemento Água*.

I

I Ching: *Livro das Mudanças*, um oráculo chinês e um texto filosófico baseado em um entendimento profundo do *yin* e do *yang*; composto por 64 hexagramas, cada um simboliza energias ou situações arquétipas. Compilado pelo Duque de Chou, por volta de 1500; comentário principal de Confúcio. Veja *Yin e Yang*.

Imagens Guiadas: Um exercício para desenvolver a imaginação no qual um guia leva as pessoas a visualizarem por meio de sugestões e símbolos.

Imersão: A prática de localizar água, minerais ou outros objetos por intermédio de uma varinha, de um pêndulo ou de outro objeto.

Inconsciente: Segundo os esotéricos, o inconsciente é uma combinação da subconsciência e da supraconsciência. O subconsciente é a memória latente das experiências passadas, enquanto o supraconsciente consiste em uma longa série de domínios de consciência que ainda não foram conquistados.

Iniciação: Transição de um ponto de polarização para outro, criando uma capacidade crescente de ver e ouvir em todos os planos, e que leva a uma expansão da consciência; um breve período de esclarecimento em que o iniciado enxerga aquela parte de seu caminho que está à frente e compartilha conscientemente no plano evolutivo.

Integridade: Qualidade de viver consistentemente de acordo com nossos compromissos, caminhando por nós mesmos.

Intervenção Divina: A intervenção Divina é quando a Origem (Deus, Buda, poder superior) se faz presente, resultando em uma ação física e espiritual, em um mesmo instante, para criar um milagre. Em outras palavras, a intervenção Divina é o fenômeno em que os tumores caem no chão e/ou as doenças entram em remissão espontânea. A intervenção Divina pode ser citada como a oração mais alta, mais específica, que pode invocar as forças da natureza e do céu, juntas. A conexão mais íntima que uma pessoa pode ter com outro ser neste planeta é manter o espaço por uma fração de segundo, para que o céu possa aparecer em ou para alguém. Quando a Origem intervém em uma situação, por intermédio de um curandeiro-ministro, as leis de uma física maior entram em ação. A possibilidade de o corpo voltar ao seu estado natural de integridade aumenta astronomicamente. Nesse momento, o corpo físico pode render-se para ser usado totalmente pela Origem, conforme as energias elétrica e magnética se dividem. Quando isso acontece, qualquer coisa que não seja vital para a estrutura energética do corpo aparece fora dele e pode ser eliminada de maneira apropriada. Veja *Milagre* e *Oração*.

Intuição: A intuição abre o mundo das ideias para nós, fornecendo, assim, as noções e um conhecimento corretos da realidade. Embora o uso comum denote impulsos emocionais com um conteúdo esmaecido da consciência mental inferior, na realidade, o termo refere-se à consciência no nível comum ou superior. A maioria dos filósofos ainda está nos dois domínios mais baixos do pensamento dedutivo e da consideração do princípio. Poucas pessoas fizeram seu caminho por meio das diferentes camadas da consciência mental para atingir a consciência da intuição.

J

Julgamentos: É essencial que os curandeiros se libertem de quaisquer julgamentos e observem um curado a partir do nível da alma para poder compreender o plano Divino que está atuando, não importa quão "ruim" possa parecer a situação.

L

Linguagem da Luz: Antigo sistema maia de cura e manifestação que utilizava as energias de cores específicas e geometrias sagradas em sequências chamadas *grades*. Essas grades atuam como uma oração muito alta e modificam a aura da pessoa, do grupo, do objeto ou do lugar para atrair o resultado desejado.

Livre-arbítrio: Para a cura acontecer ou não depende do livre-arbítrio (opção) consciente e subconsciente/inconsciente do curado. Os humanos têm a habilidade de escolher o prazer ou a dor, o crescimento ou a estagnação, o amor ou o medo. Cada escolha, seja ela positiva ou negativa, serve à evolução ou involução da alma.

M

Magia: Prática de manipular e controlar o curso da natureza por meios sobrenaturais. A magia é baseada na crença de que o Universo é habitado por forças invisíveis ou espíritos, que permeiam todas as coisas. Como os seres humanos buscam o controle da natureza, e como essas forças sobrenaturais devem governar o curso natural dos acontecimentos, o controle delas dá aos humanos o domínio sobre a natureza. A prática da magia dependerá do uso adequado do ritual e do encantamento. O encantamento é o centro da cerimônia mágica e libera todo o poder do ritual. A prática da magia, na busca de seu final desejado, também combina, frequentemente, dentro de seu escopo, os elementos da religião com os da ciência. Veja *Magia Negra*, *Magia Superior*, *Magia Inferior*, *Magia Mediana* e *Magia Branca*.

Magia Branca: É a magia *a favor* de alguma coisa. Se você é *a favor* de seu objetivo, está praticando a magia *branca*. Por exemplo: ser *a favor* da sobriedade é magia *branca*; ser *contra* dirigir bêbado é magia *negra*. Pense na energia *a favor* como uma energia aberta, fluida, que busca o positivo. Inevitavelmente, a magia branca fará muito mais. Veja *Magia Negra*, *Magia Superior*, *Magia Inferior*, *Magia Mediana* e *Magia*.

Magia Inferior: Uma forma de magia que usa *ferramentas* — itens/objetos do plano físico (espada, ramos, cartões, cristais, velas, runas). A magia inferior não é "mais baixa", ela simplesmente está mais próxima do plano físico. Veja *Magia Negra*, *Magia Superior*, *Magia Mediana* e *Magia Branca*.

Magia Mediana: O mago fica no meio de duas entidades (pessoa/coisa). Este tipo de magia não é usado em curas básicas. A magia mediana é usada para deter maldições, feitiçarias e encantamentos. Veja *Magia Negra*, *Magia Superior*, *Magia Inferior*, *Magia* e *Magia Branca*.

Magia Negra: Magia *contra* alguma coisa, portanto, que dá maior poder para o *outro* lado. Também existem repercussões cármicas para a magia negra. Pense na energia "contrária" como uma energia "intrometida", antagonista, um encontro de forças. Ela tende para o lado negativo. "O que é resistido, persiste." O mais pode ser obtido com a magia *branca*. Quando estamos contra algo, damos mais poder à outra pessoa (contra quem estamos) e existem repercussões cármicas.

Magia Superior: A arte da mágica branca em que o praticante sabe o que fazer e o que esperar, não tendo que depender de ritos e ferramentas; o praticante confia nos poderes psíquicos. O mago usa *o pensamento para obter isso*. A magia superior trabalha com os Planos Superiores do Espírito e mais próxima do Espírito. Os praticantes precisam estar bastante envolvidos em seu caminho para usá-la de modo eficaz. Veja *Magia Negra*, *Magia Inferior*, *Magia*, *Magia Mediana* e *Magia Branca*.

Magnético: Um dos cinco sentidos leves. Este é o sentido que atrai as mãos do curandeiro para os locais do curado. Veja *Carismático*, *Elétrico*, *Eletromagnético* e *Presença*.

Mandala: Um padrão complicado de círculos concêntricos, quadrados, polígonos e outros símbolos geométricos ou artísticos, que representam a Ordem do Universo, utilizado para instrução ou meditação.

Manifestação: Cada um de nós cria sua própria realidade por meio da manifestação de resultados baseados em nossos pensamentos e sentimentos. Cada coisa da vida, seja um objeto material, um acontecimento ou uma experiência, começou com um pensamento. Nossos pensamentos criam tudo ao nosso redor. Se queremos mudar nossa vida, comecemos modificando nossos pensamentos, para criá-la da maneira como queremos que ela seja. A manifestação faz que cada um de nós seja responsável pelas nossas vidas.

Mantra: Uma ferramenta de meditação que envolve a utilização de um som sagrado composto de palavras ou sílabas (com ou sem significado) cujos sons produzem efeitos psíquicos ou espirituais.

Medicina Védica: Veja *Ayurveda*

Meditação: A meditação pode ser qualquer processo ou técnica que usamos para alterar nossas ondas cerebrais e deixar de lado nossa mente consciente para entrar em contato com o interior Divino.

Médium: Uma pessoa que, em estado de transe, é capaz de permitir que espíritos desencarnados entrem no mundo emocional. Os professores esotéricos genuínos (membros da hierarquia planetária) não usam médiuns para entrar em contato com as pessoas. Justamente o contrário, eles avisam sobre a utilização de médiuns, conflitando com a lei da autorrealização; a ação também prejudica o médium física e "moralmente". Veja *Clarividência*.

Medo: Sentimento que, em geral, surge quando o amor não está presente. Um sentimento que se manifesta sempre que estamos em perigo, quando nos sentimos ameaçados ou percebemos o perigo. Os medos podem basear-se em experiências pessoais, em instintos naturais, ou podem infiltrar-se em nós pela experiência de outras pessoas.

Meridiano: Canais de energia que fluem pelo corpo físico para manter o *chi*, ou força da vida, distribuído para todos os sistemas, órgãos e células. Se estiverem em desequilíbrio ou fora de harmonia, o fluxo é afetado. Veja *Acupuntura* e *Chi*.

Mestres Ascendidos: Almas realizadas de diversas tradições esotéricas que não existem mais no plano terrestre.

Metafísica: A metafísica é o estudo do que não é físico e do que não pode ser percebido por meio dos cinco sentidos físicos do tato, paladar, audição, visão e olfato. Meta significa "acima" ou "além" e, portanto, *metafísico* significa "além do mundo físico". Nossos "sentidos metafísicos" incluem clarividência, clariaudiência, clarisciência, telepatia e telecinese. A palavra *metafísica* também pode abranger os estudos das filosofias místicas, como o ocultismo, o pensamento positivo, as lendas, os mitos, as alegorias, as religiões comparativas antigas ou contemporâneas e o mundo dos fenômenos estranhos ou incomuns, como o Pé Grande, fantasmas e óvnis. O significado clássico de *metafísica* é "a física acima do físico". Atualmente, a maioria das pessoas acredita que, se suas atitudes forem positivas e se acreditarem nos guias ou anjos da guarda, nos irmãos alienígenas, nos óvnis, seres interdimensionais, ou na canalização, elas estarão no campo da metafísica; entretanto, a não ser que compreendam o significado total de sua verdadeira natureza em um universo vivo, elas mal começaram a compreender a física superior. Veja *Clarividência*, *Clariaudição* e *Clarisciência*.

Milagre: Uma intervenção Divina na mente, que cura padrões de pensamento e ajuda o indivíduo a dar um salto quântico ou atingir resultados extraordinários que não se pensava serem possíveis.

Modo Auditivo: Estilo de aprendizado da PNL (Programação Neurolinguística) da percepção de auditório. As pessoas que operam nesse modo aprendem de acordo com o que ouvem. Os ouvintes que operam neste modo recebem as informações por meio da clariaudição, mensagens e sons que ouvem. Veja *Clariaudição* e *PNL*.

Modo Visual: Estilo de aprendizado da PNL (Programação Neurolinguística) que envolve o sentido da visão como principal meio de percepção. Veja *PNL*.

Movimento em Sentido Horário: Um movimento ou orientação que abre as energias.

Movimento em Sentido Anti-Horário: Movimento ou orientação que fecha as energias.

Mudança de Paradigma: Mudança no eixo mental ou espiritual; uma mudança na percepção ou na visão do mundo, como a revolução copérnica, darwiniana, freudiana ou da Nova Era.

Mudras: Diversos gestos de mão simbolizando diferentes significados que podem modificar e redirecionar a energia de uma pessoa ou de um grupo. Os mudras são usados de modo eficaz na meditação, na cura e nos discursos públicos.*

Mundo Material: Tudo o que está ligado a uma pessoa materialmente (por exemplo: seu dinheiro, sua casa, seu carro e assim por diante).

N

Nervoso: Dolorosamente inflamado. Todos os sentimentos emocionais de raiva são sinais de que existe algo na vida com que precisamos lidar. Quando a raiva surge, é um sinal de que algo na vida está fora de equilíbrio e incongruente com a maneira como um indivíduo acredita que o mundo deveria ser. Veja *Trabalho da Raiva*.

---

*N.E.: Sugerimos a leitura de *O Poder Curativo dos Mudras*, de Pustak Mahal, e *Numerologia, Carma e Transformação*, de Anny Luz, ambos da Madras Editora.

Glossário

Numerologia: Cada número tem sua própria vibração, e a Numerologia é o estudo dessas vibrações e do modo como afetam as pessoas. As vibrações numéricas do nome de uma pessoa, do local e da data de nascimento podem fornecer informações sobre sua personalidade, habilidades e futuro.

O

Óleos Essenciais: Fluidos extraídos de fontes botânicas, preservados em forma pura e usados em aromaterapia. Em geral, são misturados e diluídos com óleos transportadores básicos; esses óleos podem conter energias capazes de ajudar a mudar e equilibrar a aura. Veja *Aromaterapia* e *Aura*.

Om: Um mantra que se acredita ser o símbolo da manifestação da energia cósmica ou de Deus. É uma sílaba sagrada, em sânscrito, simbolizando a soma de todas as energias. Representa a primeira causa, o som onipresente e a paz duradoura.

Onda Alfa: Ondas cerebrais associadas a uma consciência relaxada, alerta. Veja *Onda Beta* e *Onda Teta*.

Onda Beta: Ondas cerebrais que indicam um estado de despertar normal com a consciência voltada para o ambiente externo. Veja *Onda Alfa* e *Onda Teta*.

Onda de Energia: O som da luz e a energia da luz movimentam-se em ondas. Os curandeiros atravessam essas ondas pelos picos e baixas, os pontos altos e os pontos baixos, pois é assim que a energia se movimenta para curar o curado. Veja *Pico* e *Baixas*.

Onda Teta: Onda cerebral associada à meditação, à memória, à melhora no aprendizado e às imagens vívidas. Veja *Onda Alfa* e *Onda Beta*.

Opressor: Um dos três jogadores do triângulo do drama. O opressor é extremamente crítico e rígido e lidera mediante ameaças e ordens. Essa pessoa, geralmente, sente-se inadequada sob a fachada ameaçadora. Veja *Co-dependente*, *Triângulo do Drama*, *Salvador* e *Vítima*.

Oração: Estar na presença de Deus e permitir que Ele preencha seu coração com amor, luz e poder.

P

Padrões: Marcas energéticas cristalizadas que se repetem na vida de uma pessoa, gerando vários tipos de desconforto. Para curar um padrão, é necessário que a pessoa o reconheça.

Paradigma: Um conjunto de conceitos profundos sobre a natureza da realidade que molda a linguagem, o pensamento, as percepções e as estruturas do sistema.

Pêndulo: Uma ferramenta de adivinhação, geralmente usada para se comunicar com os espíritos ou com o divino. Veja *Magia Inferior*.

Perdão: Livrar de julgamento, de acordo com o livro *A Course in Miracles* (da Foundation for Inner Peace, 2007).

Permissão: Antes de uma cura, o curado deve pedir, claramente, a cura. Às vezes, o curado pedirá conselhos e voltará novamente para se aconselhar mais sobre a mesma situação, porém não colocará o conselho em prática em sua vida. Essa solicitação contínua de conselhos é uma forma de pedir a cura. No entanto, quando as pessoas *reclamam* de algo, não estão *pedindo* uma cura. Elas devem perguntar ao curandeiro *como mudar* antes que o curandeiro possa trabalhar com elas.

Personalidade: O aspecto de nossa consciência individual expressado na forma humana.

Pingala: (sânscrito) Canal neural sutil que fica do lado direito da coluna; canal usado para direcionar a energia *kundalini* e o trabalho do chacra.

Plano Astral: Um plano paralelo ao mundo físico no qual o corpo astral viaja durante a projeção astral.

Plano Emocional: O plano da existência no qual nossas emoções existem, servindo como mensageiros para nos fornecer informações sobre as energias com que precisamos lidar.

Plano Espiritual: Plano da existência onde nossas energias espirituais habitam ou se expressam.

Plano Etérico: Nome do plano no qual existe a energia etérica.

Plano Físico: O plano mais denso da existência, onde a energia é transformada em matéria e a matéria toma forma.

Plano Mental: O plano onde nossos pensamentos são processados e as formas-pensamento existem e são criadas.

PNL (Programação Neurolinguística): Psicologia de comunicações que se concentra na ligação entre a linguística e os fatores físicos, incluindo tom de voz, volume, postura corporal e movimentos dos olhos. Compreender e trabalhar com este sistema pode ajudar a pessoa a construir a harmonia com colegas de trabalho, curados e alunos. Veja *Modo Auditivo* e *Modo Visual*.

Polaridades: Veja *Yin e Yang*.

Power Up: Um método de trabalhar com energia de modo a elevar a vibração de uma pessoa, de um grupo ou de um lugar.

Prana: Prana é a força vital que flui pelos canais de nosso corpo. Muitos acreditam que o prana pode ser inspirado para o corpo a partir do céu e que ele é o elemento que nos mantém vivos. Sem o prana, o corpo físico de uma pessoa não pode existir. Enquanto a maioria das pessoas pensa que é o ar (oxigênio) que mantém nosso corpo vivo, os metafísicos acreditam que é o prana que inspiramos junto *com* o oxigênio que nos mantém vivos.

Preenchimento: Preencher o curado com energia curativa. Veja *Encerramento*, *Essência Primária* e *Essência Secundária*.

Projeção Astral: Esta é a experiência, seja ela espontânea ou induzida, de viajar pelo âmbito astral na forma do corpo astral. Também é conhecida como viagem astral.

Plano Causal: O mais elevado plano de existência, também chamado de *Sivaloka* ou *Karanaloka*. É o mundo dos deuses e das almas altamente evoluídas.

Presença: Um dos cinco sentidos leves. Este é o sentido que, quando fortemente desenvolvido, pode curar e afetar as outras pessoas presentes no campo de energia desse ser. O tipo de energia da Origem que chega por meio da presença é um tipo que traz uma sensação de bem-estar geral. A presença é um raio amplo, suave e de bem-estar. Veja *Carismático*, *Elétrico*, *Magnético* e *Eletromagnético*.

Processamento: Os passos sistemáticos da eliminação de energias usadas, da limpeza e da restauração de nossas energias para o próximo nível.

Projeção: Ato de transferir suas "coisas" para outra pessoa, ou o ato de culpar em vez de assumir a responsabilidade.

Psicocinese: Uma técnica da mente sobre a matéria por meios invisíveis que pode resultar na movimentação de objetos, na dobra de metais e na determinação do resultado dos acontecimentos. Pode acontecer espontânea e deliberadamente, o que indica que se trata de um processo inconsciente e consciente.

Q

Quatro Direções: Os espíritos do Norte, Sul, Leste e Oeste. Esses quatro espíritos ancoram o Universo que conhecemos. Eles governam as estações e os dias. O nascer e o pôr-do-sol nos dá o tempo e define nossos dias. Os pólos definem nosso espaço. As estações definem o calendário e o ano. Plantamos na primavera; no verão, as plantações amadurecem; colhemos no outono; e, no inverno, os campos descansam para a nova vida que virá na primavera. Cada direção oferece uma lição para cada fase de nossas vidas. Veja *Direção Leste*, *Direção Norte*, *Direção Sul* e *Direção Oeste*.

Quatro Elementos: Existem quatro elementos básicos com os quais se trabalha durante o processo de cura e, às vezes, eles são citados como os *Elementos curativos*. Esses Elementos são os catalisadores para a transformação da matéria. Cada vez que há uma mudança no plano físico, um desses elementos está diretamente envolvido ou em conjunção com as leis da física. Veja *Elementos Ar*, *Terra*, *Fogo*, *Água* e *Curativo*.

Questão Central: Uma questão não resolvida, que afunda cada vez mais no centro de nossa base e afeta a vida de uma pessoa em todos os níveis, podendo causar uma doença física. Para que uma cura seja completa, é necessário tratar da questão central.

R

Realidade: Atualidade é aquilo que realmente é, enquanto a realidade é baseada na percepção individual da atualidade.

Reflexologia: Um sistema de cura baseado na manipulação de pontos reflexos nos pés ou nas mãos. Esses pontos correspondem a órgãos específicos e atingem a superfície e o interior do corpo.

Registros Akáshicos: Estes registros são, às vezes, citados como a Mente Universal onde tudo é armazenado. As informações de todas as almas estão ali. Os Registros Akáshicos são a marca indelével de todos os acontecimentos e de todo o conhecimento que faz parte da Consciência Cósmica. Tudo o que já aconteceu ou qualquer coisa que vá acontecer está armazenado nos Registros Akáshicos.

Reiki: Uma técnica japonesa de cura que se baseia na Energia Universal da Vida e que pode curar e equilibrar todos os seres vivos.

Remoção de Entidade: Exorcismo. O processo de separar um ser desencarnado parasita do campo do curado e mandá-lo para a luz.

Renascimento: Um processo que envolve técnicas de respiração profunda e uma encenação do processo de nascimento com o objetivo de curar atitudes e emoções reprimidas. Um humano continua renascendo como humano até que ele tenha aperfeiçoado todas as qualidades e habilidades necessárias para que continue sua expansão consciente.

Resíduo: O excesso ou sobra de energias resultante da eliminação das energias de uma cura. Quando o curandeiro limpa o campo, uma parte do processo é remover um pouco das energias residuais, enquanto deixa uma pequena quantidade que poderá ser removida em outro momento.

Resistência: Não seguir o fluxo. "O que é resistido, persiste."

Respiração: É o ar que uma pessoa inspira e expira dos pulmões. Em uma cura, é o ar que vem do curandeiro conforme ele respira: esse ar está impregnado de energia usada do curado. Às vezes, é bom usar a respiração para livrar o curado de sua energia usada.

Ressonância: Todas as energias, quando combinadas, formam o campo para a cura. Isto é ressoar com uma vibração que é a combinação de todas as forças atuantes com as energias inatas aplicadas na cura. A qualidade geral da cura depende da ciência do curandeiro com relação às energias apresentadas e à sua habilidade de utilizá-las para o bem maior de todos os envolvidos.

Ritual: Um ato de oração desempenhado com intenção para ancorar uma energia específica. Quanto mais frequente for o ritual, maior será seu poder.

Roda da Medicina: Um círculo de pedra antigo utilizado há centenas de anos pelos nativos como local de orações, cerimônias e autoentendimento. As pedras são dispostas de maneira a simbolizar vários aspectos do Universo.

Runas: Uma ferramenta de magia e adivinhação. Há muitos tipos de runas, inclusive as anglo-saxãs, da Wicca, e a nórdica. Todas representam um tipo de alfabeto. Depois de decidir o assunto, as runas são jogadas aleatoriamente e, então, decifradas com base em sua posição.

S

Salvador: Um dos três jogadores do triângulo do drama. O salvador concentra-se em ajudar as pessoas a evitar seus próprios problemas. Em geral, eles têm raiva implícita. Essas pessoas tendem a ser solitárias, pois não têm vida própria. Ele ajuda (interfere) sem que se peça. Em geral, tem um papel de mártir. Veja *Co-dependente*, *Triângulo do Drama*, *Opressor* e *Vítima*.

Sensitivo: Pessoa que recebe informações do sentido cinestésico; um aluno cinestésico.

Sentidos Leves: Os cinco sentidos não-físicos que um curandeiro emprega para emanar ou para detectar energia. Veja *Carismático*, *Eletromagnético*, *Magnético* e *Presença*.

Sentimento: Uma experiência emocional no PRESENTE.

Ser Desencarnado: Um ser que existe sem um corpo. Alguns seres desencarnados são humanos, que morreram e não passaram para o outro lado. Outros estão aqui vindos de outras dimensões para observar e, em geral, para nos ajudar. Veja *Entidades*.

Ser Superior: A mente supraconsciente ou de consciência superior.

Serviço: Abordar a vida a partir de uma atitude de serviço é o caminho mais fácil, seguro e rápido para a evolução. Embora o serviço não se trate de receber, quando uma pessoa presta um serviço de qualquer tipo, *incondicionalmente*, ela automaticamente queima o carma e colhe muitas recompensas. Aqueles que servem à humanidade de modo altruísta recebem cada vez mais oportunidades de servir.

Xamã: Um(a) homem/mulher da medicina ou médico-bruxo.

Xamanismo: Religião dos povos antigos do norte da Europa e da Ásia, geralmente caracterizada pela capacidade do xamã de se comunicar com o mundo espiritual. As principais facetas do Xamanismo são o animismo, a possessão, as profecias/revelações, a transformação e a viagem da alma.

Sistema de 12 Chacras: A ativação dos chacras adicionais é um aspecto significativo das alterações de mutação pela qual passam muitos Trabalhadores da Luz neste momento. Muitos de nós estamos passando para o sistema de 12 chacras. No livro *Mensageiros do Amanhecer*, de Barbara J. Marciniak, as Plêiades indicam que cinco chacras adicionais, localizados fora do corpo, estão em processo de ativação. Nesses moldes de referência, o oitavo chacra está localizado um pouco acima da cabeça. Considera-se que os chacras 9 a 12 estejam localizados bem acima da cabeça. Essas são as localizações aproximadas; esses chacras extras transcendem, essencialmente, nosso *continuum* de espaço e tempo e, portanto, a localização real não é significativa. Veja *Chacra* e *Sistema de Sete Chacras*.

Sistema de Sete Chacras: A ciência metafísica tradicional diz que existem sete chacras primários associados ao corpo. Começando no topo da cabeça, esses chacras são, em geral, conhecidos como chacra da coroa, chacra da sobrancelha (terceiro olho), chacra da garganta, chacra do coração, chacra do plexo solar, chacra sexual (sacral) e chacra da base (raiz). Entretanto, um aspecto significativo das alterações de mutação envolve a ativação de chacras adicionais. Veja Chacras e *Sistema de 12* Chacras.

Sistema Linfático: O sistema linfático é um sistema de vasos que auxilia as veias na recuperação dos fluidos dos tecidos do corpo e os devolve ao coração. O sistema linfático limpa o corpo, a aura, os corpos sutis e os chacras de uma vez só. Ele forma uma trança de três arco-íris que se estende pelo nosso corpo. Quando falta uma cor em um dos arco-íris, começamos a formar uma doença. Quando faltam cores em dois arco-íris, a doença transforma-se em matéria. Quando faltam cores nos três arco-íris, a doença torna-se crônica.

Sociedade Antroposófica: Movimento espiritual fundado por Rudolf Steiner,* em 1912, que enfatizava a jardinagem e a plantação biodinâmica, assim como a Teosofia Cristã.

Subconsciente: Os humanos recebem, constantemente, impulsos da mente subconsciente. Cada encarnação deixa sua própria camada de consciência dentro da mente subconsciente. Tudo isso é preservado como traços de qualidades e habilidades, geralmente manifestadas como potenciais. É importante desenvolver os potenciais rudimentares em cada nova encarnação, um processo que se torna cada vez mais fácil com o tempo, para que eles estejam sempre atualizados.

T

Talismã: Um objeto, carregado magicamente, utilizado para atrair um certo tipo de energia ou um determinado tipo de pessoa. Veja *Magia Inferior*.

Tarô: Uma forma de adivinhação que utiliza um conjunto de cartas (em geral, 76) que representa os arquétipos humanos. Veja *Magia Inferior*.

Técnicas: O objetivo das técnicas em uma cura é controlar a maneira e o tipo de energia que flui para o curado. As técnicas sintonizam, suavizam e alteram a energia a fim de que as diferentes partes do corpo a recebam de forma adequada para elevar o nível de vitalidade.

Topo: Esta é a parte da onda de uma cura em que a energia está subindo para a maior amplitude e frequência com que o curado pode lidar. Veja *Onda de Energia* e *Baixa*.

Totem: Entidade não humana, geralmente representada como um animal, que simboliza a essência espiritual e, geralmente, o primeiro ancestral de um grupo.

Trabalhador da Luz: Qualquer pessoa que participe do aumento da luz na Terra com o objetivo de aumentar sua vibração. Pensamentos positivos, palavras e ações gentis, oração, compaixão e muitas outras coisas aumentam a luz do planeta.

Trabalho da Raiva: Técnicas usadas para ajudar as pessoas a curar a raiva reprimida. Um método envolve bater em um travesseiro com um taco de plástico ao mesmo tempo em que se verbaliza a raiva. Veja *Raiva*.

Transformação: Um renascimento do ser na mesma forma física, que envolve os processos sistemáticos de abandonar os padrões profundamente enraizados, criando assim um espaço para a evolução significativa.

Transmissão: Transmissão de ensinamentos adquiridos de um professor mestre para um aluno. Veja *Ensinamentos Adquiridos*.

Transmutação: Conversão alquímica de uma energia em outra. No processo de cura, os padrões não saudáveis são transformados em padrões novos e saudáveis.

Triângulo do Drama: O triângulo do drama mostra os papéis dramáticos disfuncionais que as pessoas desempenham diariamente. Esses papéis instáveis e repetitivos são emocionalmente competitivos e criam infelicidade e desconforto em todos os atores, cedo ou tarde. A troca de papéis acontece entre opressor, salvador e vítima, gerando e perpetuando o drama e os sentimentos dolorosos que ocorrem quando as pessoas, com compromissos ocultos e segredos, manipulam as pessoas e as situações para obter uma vantagem pessoa e disfuncional. Veja *Co-dependente*, *Opressor*, *Salvador* e *Vítima*.

Triste: Afetado ou expressando sofrimento ou infelicidade; de pouco valor.

V

Varinha de Condão: Uma ferramenta de adivinhação. Essa é uma varinha longa e estreita, usada por rabdomantes para dar sinais tangíveis que respondam às suas questões.

Vítima: Jogador do triângulo do drama, caracterizado pelo pensamento "coitado de mim". A vítima sente-se vitimada, oprimida, desamparada, sem esperanças, sem ação e envergonhada. A vítima procura um salvador, que perpetuará esses sentimentos negativos. Enquanto essa pessoa permanece na posição de vítima, bloqueia a si mesma na tomada de decisões, na solução de problemas, na apreciação do prazer e no entendimento do ser. Veja *Co-dependente*, *Triângulo do Drama*, *Opressor* e *Salvador*.

Vórtice: A forma de funil criada por um fluido que escoa ou pelo movimento de energia em espiral. Exemplos familiares de formas de vórtice são furacões, tornados e água descendo pelo ralo. Um vórtice pode ser composto de qualquer coisa que flua, como vento, água ou eletricidade. Os vórtices de energia são centros de energia sutil que saem da superfície da Terra. A energia do vórtice não é exatamente elétrica ou magnética, embora deixe um leve resíduo de magnetismo nos lugares em que é mais forte.

Y

***Yin* e *Yang*:** Princípios fundamentais da filosofia chinesa. *Yin* corresponde à energia negativa, ao escuro, ao frio, ao úmido e ao feminino. *Yang* corresponde à energia positiva, à luz, ao ativo, ao seco, ao quente e ao masculino. Nas pessoas e na natureza, as interações e o equilíbrio da energia *yang* com seu contrário *yin* influenciam a saúde e o comportamento.

Índice Remissivo

A

Acupressão 147
Acupuntura 147, 152, 167
Afirmação 53
Alma 23, 30, 34, 90, 101, 121, 150, 151, 153, 167, 177, 189
Alma Antiga 147
Alquimia 147
Amuleto 148
Animal 42, 148, 155, 162, 163, 175
Ar 13, 31, 34, 46, 47, 50, 79, 81, 92, 94, 100, 110, 140, 158, 170, 172, 173
Aromaterapia 148, 168
Asserções 142, 148
Aura 9, 27, 33, 34, 35, 42, 58, 94, 97, 102, 125, 139, 148, 151, 155, 159, 160, 161, 164, 168, 174, 188
Ayurveda 149, 166

B

Baixa 42, 43, 58, 149, 165, 189
Bardo 149
Bilocar 149
Biofeedback 149
Biorritmo 149
Boa higiene do curandeiro 61
Botão 149

C

Caminhar sobre o Fogo 149
Campo de Cura 34, 42, 50, 81, 150
Campo de ressonância 34
Campos básicos da cura 9, 34
Canalização 150, 167
Capacitador 150
Carga 40, 78, 84, 151, 159, 163
Carismático 40, 150, 158, 159, 166, 171, 173
Carma 149, 150, 157, 168, 174
Centralização 150, 153
Chacra 30, 35, 36, 50, 62, 72, 90, 92, 94, 95, 96, 97, 101, 103, 111, 112, 127, 128, 129, 132, 133, 150, 151, 152, 170, 174
Chacra da Garganta 151, 174
Chacra da mão 101, 103
Chacra da Raiz 92, 94, 151
Chacra do Coração 72, 96, 111, 112, 151, 174
Chacra do Plexo Solar 152, 174
Chacra do Terceiro Olho 152
Chacra Sacral 152
Chacras 9, 11, 33, 35, 36, 49, 51, 62, 75, 90, 94, 96, 97, 111, 112, 134, 135, 137, 140, 150, 151, 152, 153, 159, 174
Chi Qong 11, 98, 99
Chorar 27, 47, 131, 139
Cinco sentidos básicos 39
Cinesiologia 152
Cinestésico 152, 173
Clariaudição 152, 167
Clarisciência 152, 167
Clarividência 152, 166, 167
Co-dependente 150, 152, 153, 169, 173, 176
Cconceito de frequência 141
Conclusão 58, 62, 68, 73, 74, 78, 127, 138, 153, 159
Condutor 9, 13, 14, 20, 24, 28, 30, 43, 44, 53, 54, 66, 67, 68, 71, 153, 155
Condutor da Origem 30, 54, 66, 71
Conexão 9, 10, 20, 21, 29, 30, 31, 32, 40, 42, 49, 50, 51, 66, 67, 68, 72, 73, 74, 75, 76, 77, 78, 79, 83, 84, 85, 113, 118, 126, 129, 130, 131, 136, 137, 138, 139, 150, 151, 153, 161, 164

Consciência Cósmica 154, 172
Consciência de Cristo 154
Conselhos 154, 169
Cordão de Prata 154
Corpo Emocional 149, 154
Crise de Cura 155, 157
Cura Atômica 155
Cura Ausente 155
Cura Ayurvédica 45
Curado 10, 16, 20, 21, 23, 24, 25, 26, 27, 28, 29, 30, 31, 33, 34, 36, 40, 41, 42, 43, 44, 46, 47, 48, 49, 50, 55, 57, 58, 60, 61, 62, 66, 67, 68, 69, 71, 72, 74, 75, 81, 82, 83, 84, 85, 86, 87, 88, 93, 94, 97, 100, 102, 103, 104, 105, 106, 107, 108, 110, 111, 112, 113, 118, 119, 120, 121, 122, 124, 125, 127, 129, 130, 131, 134, 136, 137, 138, 139, 140, 142, 148, 150, 151, 153, 155, 156, 158, 161, 163, 164, 166, 169, 171, 172, 173, 175

D

Dedo indicador 100, 101, 103
Des-conforto 27
Desidratação 156, 163
Dimensões 156, 157, 173
Direção Leste 156, 171
Direção Norte 156, 171
Direção Oeste 156, 171
Direção Sul 156, 157, 171
Dívida Cármica 157
Do curado 16, 20, 26, 28, 30, 34, 36, 40, 41, 42, 43, 44, 46, 47, 48, 49, 50, 55, 58, 60, 61, 66, 67, 68, 71, 74, 75, 81, 84, 85, 88, 90, 94, 97, 99, 100, 101, 106, 107, 108, 112, 113, 119, 120, 122, 125, 129, 131, 132, 136, 138, 139, 140, 148, 153, 154, 158, 163, 169, 171, 188
Doença Aguda 157
Doença Crônica 157
Domínio Dimensional 157, 189

E

Ectoplasma 157, 160
Ego 21, 30, 31, 68, 157
Elemento 46, 47, 48, 90, 91, 92, 142, 156, 158, 163, 170
Elétrico 40, 150, 158, 159, 166, 171
Eletromagnético 41, 148, 150, 158, 166, 171, 173
Elohim 159
Emanação 159
Emoções 26, 30, 125, 130, 138, 139, 142, 145, 150, 155, 157, 159, 160, 170, 172
Empatia 159
Encerramento 58, 159, 161, 171

Encerrando a sessão 10, 58
Endoplasma 160
Energia 13, 16, 19, 20, 23, 24, 25, 26, 27, 30, 31, 33, 35, 36, 39, 40, 41, 42, 43, 44, 46, 47, 48, 49, 50, 51, 54, 57, 58, 59, 60, 61, 62, 65, 66, 67, 69, 74, 75, 76, 77, 78, 81, 82, 84, 86, 87, 88, 89, 92, 94, 97, 100, 101, 102, 103, 104, 107, 108, 109, 110, 111, 112, 113, 114, 115, 116, 117, 118, 119, 120, 121, 122, 123, 126, 127, 129, 130, 131, 132, 133, 136, 137, 138, 139, 140, 143, 146, 147, 148, 149, 150, 151, 152, 153, 155, 156, 157, 158, 159, 160, 162, 163, 165, 166, 168, 169, 170, 171, 172, 173, 175, 176, 177

F

Feng Shui 162
Física Quântica 19, 113, 152, 162
Força vital 151, 170
Formas-pensamento 88, 170

G

Geometria Sagrada 162
Glândula Pineal 162
Gratidão 30, 162, 189
Guia 148, 162, 163

Guias Espirituais 148, 162, 163

H

Hidratação 156, 163

I

I Ching 163
Imagens Guiadas 163
Inconsciente 16, 35, 160, 163, 164, 171
Iniciação 160, 163
Integridade 33, 36, 42, 129, 155, 165, 188, 189
Intenção de curar 31, 54, 66
Intervenção Divina 163, 164, 167, 189

J

Julgamentos 23, 68, 164

M

Magia Branca 165, 166
Magia Inferior 148, 165, 176, 188, 189
Magia Mediana 165, 166
Magia Negra 165, 166
Magia Superior 165
Magnético 40, 150, 158, 159, 166, 171, 173
Mandala 166

Manifestação 48, 148, 162, 164, 166, 168
Mantra 166, 168
Meditação 148, 189
Médium 150, 166
Medo 24, 25, 148, 164, 166, 188
Mestres Ascendidos 167
Metafísica 149, 155, 167, 174
Milagre 163, 164, 167
Modo Auditivo 167, 170
Modo Visual 167, 170
Mundo Material 160, 168

N

Numerologia 168

O

Olhos abertos 106, 107
Om 168
Onda 10, 19, 36, 41, 42, 43, 46, 51, 58, 67, 106, 107, 113, 118, 122, 149, 168, 169, 175
Onda Alfa 168, 169
Onda Beta 168, 169
Onda Teta 168, 169
Oração 53, 164, 174, 189
Origem 10, 13, 15, 16, 20, 23, 24, 25, 26, 27, 28, 30, 31, 36, 40, 41, 42, 43, 44, 46, 47, 49, 50, 51, 53, 54, 57, 58, 61, 62, 65, 66, 67, 68, 69, 71, 72, 76, 92, 94, 96, 100, 110, 111, 127, 128, 143, 147, 149, 150, 152, 154, 156, 157, 158, 159, 161, 162, 163, 164, 171

P

Padrões 20, 24, 61, 129, 150, 155, 156, 167, 169, 176
Paradigma 161, 168, 169
Personalidade 41, 143, 157, 159, 168, 170
Pico da onda 43
Plano Causal 171
Plano Divino 23, 164
Plano Emocional 170
Plano Espiritual 170
Plano Etérico 170
Plano Físico 157, 170
Plano físico 23, 30, 31, 45, 48, 51, 150, 151, 157, 163, 165, 172
Plano Mental 170
PNL (Programação Neurolinguística) 167, 170
Poder da luz 29
Poder elemental 10, 48
Polaridades: Veja Yin e Yang. 170
Programação Neurolinguística 167, 170
Projeção 154, 155, 159, 170, 171
Psicocinese 171

Q

Quatro Direções 108, 109, 110, 156, 158, 173
Quatro Elementos 10, 13, 45, 46, 48, 68, 110, 158, 171
Quatro Energias 9, 29, 30, 32
Questão Central 149, 150, 157, 171, 172

R

Raiva 11, 126, 127, 128, 168, 173, 175
Realidade 20, 54, 141, 149, 154, 164, 166, 169, 172
Reconexão 9, 31, 42
Reflexologia 172
Registros Akáshicos 172
Reiki 172
Remoção de Entidade 172
Renascimento 172, 175
Resíduo 172, 176
Respiração 11, 25, 26, 50, 58, 62, 66, 68, 81, 82, 88, 90, 92, 101, 173, 174
Resultado da Cura 34
Revisão da sessão 10, 67
Roda da Medicina 173
Rudolf Steiner 174, 175

S

Sentido Anti-Horário 103, 104, 167
Sentido leve 10, 40, 41, 44, 68, 150, 152, 158
Sentimento 125, 141, 143, 157, 166, 173
Ser Superior 30, 51, 93, 105, 159, 188
Sessão de Cura 9, 10, 16, 17, 24, 33, 34, 36, 47, 53, 57, 61, 65, 68, 69, 113, 154
Sistema de 12 Chacras 151, 152, 174
Sistema de Chacras 9, 33, 35, 36
Sistema de Sete Chacras 151, 152, 174
Sistema Linfático 174
Sociedade Antroposófica 174
Subconsciente 16, 35, 51, 67, 122, 153, 154, 160, 163, 174, 175

T

Talismã 175
Tarô 175
Taxa de cura 121
Técnica da cabeça limpa 129
Técnicas de equilíbrio dos chacras 11, 90

Técnicas de Respiração 11, 81, 172
Teosofia Cristã 174
Terra 10, 13, 16, 19, 20, 26, 30, 31, 36, 47, 48, 49, 50, 51, 57, 58, 62, 68, 71, 72, 73, 74, 75, 76, 77, 78, 82, 83, 84, 85, 91, 97, 98, 99, 105, 110, 113, 118, 126, 129, 130, 131, 136, 137, 139, 140, 152, 153, 155, 156, 158, 159, 163, 171, 175, 176
Totem 175
Toxinas 47, 76, 77, 107
Tradição xamânica 155
Transformação 45, 48, 147, 168, 171, 174, 175
Transmissão 157, 175
Transmutação 34, 176
Triângulo do Drama 150, 153, 169, 173, 176

U

Universo 31, 42, 149, 151, 159, 165, 166, 167, 171, 173

V

Varinha de Condão 176
Vibração 15, 34, 51, 113, 118, 150, 151, 153, 156, 168, 170, 172, 175
Vítima 153, 169, 173, 176, 187
Vórtice 35, 90, 150, 151, 176

X

Xamã 174
Xamanismo 174

Y

Yin e Yang 147, 170, 176

Sobre a Autora

S tarr Fuentes acumulou um vasto conhecimento esotérico em cinco décadas de estudo com mestres do mundo inteiro, bem como com a utilização das técnicas de cura e com as aulas que deu para milhares de alunos.

Sua vida e seu caminho de cura

Filha de mãe polonesa e pai mexicano, Starr nasceu em 1939, em um bairro pobre de Detroit. O alcoolismo acabou com a vida de seus pais e Starr passou, na infância, fome e frio, sendo também vítima de agressões físicas e sexuais. A sua única irmã suicidou-se aos 13 anos, quando Starr tinha apenas 6 anos.

Quando criança, Starr só encontrava conforto em dois lugares — na biblioteca e na casa de sua avó. Starr ficava no calor e conforto da biblioteca, lendo todas as noites até a hora do fechamento. Ela explorava as terras exóticas e estrangeiras que visitaria um dia e alimentava sua crescente fome pelo conhecimento. A inteligência de um gênio que Starr tinha passou completamente despercebida por seus pais, mas, com a ajuda de um amigo e de sua família, ela foi para a Mensa aos 11 anos de idade.

As capacidades psíquicas eram tão comuns quanto o alcoolismo em sua família e Starr tomou ciência de seus dons quando ainda era bastante jovem. Sua avó era uma curandeira praticante e por isso Starr passava horas e horas em sua cozinha, aprendendo a arte das ervas, da cura e da magia. Mesmo quando ainda estava no berço, Starr se lembra de que via auras. Na escola, quando fazia desenhos de pessoas e animais, ela desenhava a aura naturalmente, sem entender inicialmente que isso era incomum. Ela começou a reconhecer a doença nas pessoas por causa das cores das auras. Rapidamente, percebeu que as pessoas tinham medo de suas habilidades e, por muitos anos, considerou seus dons uma "brincadeira cruel".

Aos 13 anos, Starr saiu de casa e começou a se sustentar trabalhando como garçonete em uma parada de caminhões. Ela foi para a faculdade com bolsa integral, atendendo mesas à noite e ensinando yoga. Finalmente, Starr entendeu-se com suas habilidades de cura durante seu último ano de faculdade, depois de colocar sua mão sobre o tumor de um amigo e o tumor manifestar-se na palma de sua mão. Ela sabia que tinha algumas opções — afundar-se no álcool como seus pais, ou assumir quem ela estava sendo chamada para ser. Ela optou por ser uma curandeira.

O caminho de cura de Starr

Starr pegou o caminho de curandeira de maneira consciente e começou a usar suas habilidades psíquicas de muitas maneiras, fazendo leituras para as pessoas e ajudando as agências locais e federais a solucionar crimes.

Starr fez sua primeira viagem de estudos com um mestre na Colômbia. De lá, ela foi para a Cidade do México e, em seguida, foi estudar na Mexican Curanderos, em Vera Cruz, onde passou três anos com sua principal professora, Esperanza. Starr viajou o mundo, estudou com xamãs na América do Sul e no México, com médicos descalços da China, com lamas na Índia e com médicos da África. Ela estudou sexo tântrico na Índia para livrar-se de seus traumas sexuais, tornando-se mestre por seus próprios méritos.

Durante os três anos que passou com Esperanza, Starr trabalhou muito. Ficava várias horas curando as centenas de pessoas que vinham de longe. Mesas de cura temporárias eram armadas e as refeições eram feitas às pressas; pequenas pausas eram permitidas pouquíssimas vezes. No fim do dia, Starr estava cansada demais para se importar em dormir em uma rede no lado de fora da casa. O aprendizado de Starr ensinou-lhe muitas coisas, inclusive o serviço sagrado, a homenagem a sua professora e a preservação da integridade da linhagem. Sua apreciação e sua gratidão cresceram além de todos os limites.

Depois de muitos anos estudando diversas técnicas de cura no mundo todo, Starr voltou ao hemisfério ocidental para ensinar outras pessoas a curar suas próprias feridas e até curar o câncer. Starr levou milhares de homens, mulheres e crianças à saúde emocional, mental e física com seu uso eclético de antigas técnicas de cura, ferramentas modernas da psicologia, suas habilidades psíquicas, profunda compaixão pelo sofrimento humano e seu senso de humor. Ela é capaz de ver a essência das pessoas e nos faz chegar aos nossos mais elevados níveis de possibilidade.

Atualmente, Starr dirige um retiro no Texas, assim como o centro de conferência/espiritual Divine Intervention Dome, em Hot Springs, Arizona. Além de ensinar no Dome, ela viaja mensalmente para dar mais de 400 aulas, entre as quais as mais populares são: Linguagem da Luz, Intervenção Divina, Atração da Alma, DNA de 12 Cordões e Domínio Dimensional. Starr tem diversos *podcasts* de meditação e informações disponíveis no *iTunes*, bem como diversas páginas na internet, inclusive www.starrfuentes.com e www.didome.com.

Nota do Editor

A Madras Editora não participa, endossa ou tem qualquer autoridade ou responsabilidade no que diz respeito a transações particulares de negócio entre o autor e o público.

Quaisquer referências de internet contidas neste trabalho são as atuais, no momento de sua publicação, mas o editor não pode garantir que a localização específica será mantida.

MADRAS® Editora

Para mais informações sobre a Madras Editora,
sua história no mercado editorial
e seu catálogo de títulos publicados:

Entre e cadastre-se no site:

www.madras.com.br

Para mensagens, parcerias, sugestões e dúvidas, mande-nos um e-mail:

@ marketing@madras.com.br

SAIBA MAIS

Saiba mais sobre nossos lançamentos,
autores e eventos seguindo-nos no facebook e twitter:

@madrased

/madraseditora